CB140955

Joaquim Nabuco em Yale

CENTENÁRIO DAS CONFERÊNCIAS NA UNIVERSIDADE
ENSAIOS COMEMORATIVOS

Kenneth David Jackson [org.]

Bem-Te-Vi

© Bem-Te-Vi Produções Literárias Ltda.
Estrada da Gávea, 712 / 402
São Conrado – Rio de Janeiro – RJ
CEP 22610-002
e-mail: bem-te-vi@bem-te-vi.net
www.editorabemtevi.com.br

Proibida toda forma de reprodução desta edição por qualquer modo ou forma, eletrônica, mecânica, fotocopiada, gravada ou por qualquer meio sem autorização expressa dos autores e da editora

A editora agradece a colaboração dos autores que cederam seus direitos para a publicação desta obra

EDITORA RESPONSÁVEL
Vivi Nabuco

EDITORIA EXECUTIVA
Lélia Coelho Frota

ASSESSOR ESPECIAL
Fernando Pedreira

ORGANIZADOR
Kenneth David Jackson

TRADUTOR RESPONSÁVEL
Christopher Peterson

TRADUÇÃO
Christopher Peterson
Rafaella Quental
Anna Luiza Vianna
Sônia Moreira

DESIGN GRÁFICO
Victor Burton
Angelo Allevato Bottino

ASSISTENTE DE DESIGN
Natali Nabekura

REVISOR RESPONSÁVEL
Leonardo Fróes

REVISÃO
Leonardo Fróes
Rebeca Bolite
Léia Coelho
Bem-Te-Vi

ÍNDICE ONOMÁSTICO
Alberto Taveira

APOIO À PRODUÇÃO
Marcello Braga Machado
Mariana Ferreira da Silva

ASSESSORIA JURÍDICA
Manoel Nabuco

CONSELHO CONSULTIVO DA BEM-TE-VI
Anna Letycia
Armando Freitas Filho
Claudio Mello e Souza
Gilberto Velho
Luiz Paulo Horta
Moacir Werneck de Castro
Ricardo Cravo Albin
Sérgio Augusto
Sérgio Rodrigues
Silviano Santiago

Agradecimentos especiais
BRASIL: Lélia Coelho Frota, Christopher Peterson, Editora Bem-Te-Vi (Rio de Janeiro), Fundação Joaquim Nabuco (Recife)
ESTADOS UNIDOS: Jean Silk, Kelly Rich, Nancy Ramirez, Julia Urrunaga, Marilyn Wilkes, Joelle Siracuse, Ed Granski, Pat Savino, embaixador Graça Lima, conselheiro Davino Sena, Consulado-Geral do Brasil em Nova York

SUMÁRIO

SOBRE OS AUTORES

JOÃO ALMINO é autor de numerosos livros de ficção, um dos quais, *As cinco estações do amor*, recebeu o prêmio literário Casa de las Americas em 2003, e de não ficção, como *Os democratas autoritários* (1980). Doutorou-se em Paris, é cônsul do Brasil em Chicago e professor universitário. Com Carlos Henrique Cardim, organizou o volume *Rio Branco, a América do Sul e a modernização do Brasil* (2002).

LESLIE BETHELL é professor da Universidade de Oxford, tendo dirigido o Centro de Estudos Brasileiros de 1997 a 2007. Autor de *The Abolition of the Brazilian Slave Trade* (1970). Editor de *The Cambridge History of Latin America*, vols. I e II, *Colonial Latin America* (1984); vol. III, *From Independence to c.1870* (1985); vols. IV e V, *From c.1870 to 1930* (1986); vol. VI (partes 1 e 2), *Latin America Since 1930: Economy, Society and Politics* (1994); vol. VII, *Mexico, Central America and the Caribbean since 1930* (1990); vol. VIII, *Spanish South America Since 1930* (1991); vol. X, *Latin America Since 1930: Ideas, Culture and Society* (1995); vol. XI, *Bibliographical Essays* (1995), publicada também em espanhol, chinês e português.

STEPHANIE DENNISON é professora de Estudos Brasileiros no Departamento de Espanhol, Português e Estudos Latino-americanos da

Universidade de Leeds. Autora de *Joaquim Nabuco: Monarchism, Panamericanism and Nation-building in the Brazilian Belle Époque* (2006) e coautora, com Lisa Shaw, de *Brazilian National Cinema* (2007).

HUMBERTO FRANÇA é diretor de pesquisas e projetos especiais da Fundação Joaquim Nabuco, no Recife. Autor de "Nabuco, memória e história" e de muitos outros ensaios sobre Joaquim Nabuco como diplomata e pensador. Com frequência abordou o mesmo tema em palestras proferidas em diversas cidades do Brasil e do exterior.

KENNETH DAVID JACKSON é professor de Português na Universidade de Yale. Editor de *The Oxford Anthology of the Brazilian Short Story* (2006); *Haroldo de Campos: A Dialogue with the Brazilian Concret Poet* (2005), *Oswald de Andrade: 100 Years of Invention* (1992); coeditor de *Experimental, Visual, Concrete: Avant-Garde Poetry Since 1960* (1996); autor de *A vanguarda literária no Brasil* (1998); *Camões and the First Edition of The Lusiadas* (CD-ROM, 2003); *De Chaul a Batticaloa: As marcas do Império Marítimo Português na Índia e no Sri Lanka* (2005).

JEFFREY D. NEEDELL, mestre pela Universidade de Yale em 1978 e doutor pela Universidade de Stanford, em 1982, é professor de História na Universidade da Flórida e esteve na Universidade Federal Fluminense, em Niterói, como professor visitante da Fulbright. Autor de *A Tropical Belle Époque: Elite Culture and Society in Turn-of-the-Century Rio de Janeiro* (1987) e de *The Party of Order: The Conservatives, the State, and Slavery in the Brazilian Monarchy, 1831–1871* (2006).

MARCO A. NOGUEIRA é professor no Departamento de Antropologia, Política e Filosofia da Universidade Estadual Paulista (Unesp), em Araraquara, e no Programa de Graduação em Relações Internacionais (Unesp, PUC-SP, Unicamp). Autor de *Desventuras do liberalismo: Joaquim Nabuco, a Monarquia e a República* (1984); *Possibilidades da política: ideias para a reforma democrática do Estado* (1998); *Estado para a sociedade civil: temas éticos e políticos da gestão democrática* (2004).

PAULO JOSÉ DOS REIS PEREIRA, doutor em Ciência Política pela Universidade Estadual de Campinas, é subcoordenador dos cursos de Relações Internacionais no Departamento de Política da Pontifícia Universidade Católica de São Paulo. Autor de *A política externa da Primeira República e os Estados Unidos: a atuação de Joaquim Nabuco em Washington (1905–1910)* (2006).

JOHN SCHULZ é decano da Brazilian Business School, em São Paulo. Autor de *O exército na política: origens da intervenção militar, 1850–1894* (1994); *The Financial Crisis of Abolition* (2008).

NORMAN VALENCIA é doutor pelo Departamento de Espanhol e Português da Universidade de Yale.

O EMBAIXADOR AMERICANISTA: AS CONFERÊNCIAS DE JOAQUIM NABUCO NOS ESTADOS UNIDOS

Kenneth David Jackson

Durante os cinco anos em que serviu como embaixador do Brasil em Washington, D.C. (1905-1910), o diplomata e estadista Joaquim Nabuco tirou proveito dos interesses literários que desenvolvera durante a última década do século anterior, afastado da República e da política, momento em que cuidava da fundação da Academia Brasileira de Letras com Machado de Assis, efetivada em 1897, redigia a biografia do pai, *Um estadista do Império* (1898-1900) e as próprias memórias, *Minha formação* (1900). Chegando a Washington em 1905, Nabuco juntou o ofício de escritor a uma nova estratégia e visão diplomáticas, visando aos benefícios de uma aliança entre o Brasil e os Estados Unidos, união que elevasse o prestígio do primeiro embaixador brasileiro em que vale a carreira multifacetada do diplomata veterano. Com a aproximação, Nabuco pretendia impor um conceito e uma doutrina de uma civilização das Américas, vinda do Brasil, liderada pelos dois grandes países do hemisfério e sustentada pelas experiências que tiveram em comum na transformação de Colônia em República. Para realizar essa nova política de raiz cultural, Nabuco se valeu do seu vasto charme pessoal, encenado nas elegantes recepções na embaixada, e do seu domínio da retórica, aprimorado nos estudos de Camões, nos discursos abolicionistas e na biografia do pai, o senador Nabuco de Araújo (1813-1878).

I : A DIPLOMACIA PÚBLICA E O AMERICANISMO

De 1908 a 1909 Nabuco escreveu seis conferências sucintas, redigidas num inglês primoroso, fruto de uma longa permanência em Londres e de sua anglofilia, para apresentação em renomadas universidades norte-americanas (Yale, Chicago, Vassar, Cornell, Wisconsin).[1] Nessas escritas brilham a ironia e o bom humor do seu autor, a pesquisa, os comentários sempre bem informados, uma ampla documentação e uma precisão de frase e de referência, necessárias a um ensaio acadêmico em língua inglesa. Peregrino por vontade própria, Nabuco procura constituir ele mesmo o elo que ligará essas conceituadas universidades pelo amor à língua portuguesa e ao espírito nacional brasileiro. Por meio de um panorama sintético da história nacional, e pelos episódios citados de *Os Lusíadas*, de Luís de Camões,[2] identifica exemplos de idealismo, de amor e de liberdade, com os quais constrói uma teoria de cultura das Américas, na qual o Brasil ocupará um lugar comparável ao dos Estados Unidos. Nas peregrinações universitárias, Nabuco manifesta a dupla intenção de semear os seus ideais, o seu conceito de civilização e de literatura a uma nova geração, e de deixar uma imagem do Brasil como país idealista e progressista, num caminho paralelo ao do país de seus amigos Elihu Root,[3] secretário de Estado, e Theodore Roosevelt,[4] presidente da República.

Três dos ensaios têm como tema a civilização americana comparada, enquanto os outros três tratam da obra de Camões. Nabuco primeiro mostrara o seu interesse em estudar a cidadania norte-americana na conferência "The American Conscience and American Public Opinion", apresentada numa sessão especial da American Academy of Political and Social Science, em homenagem ao embaixador mexicano Don Joaquín D. Casasus, em 24 de fevereiro de 1906. Nessa conferência destaca uma nova consciência americana, separada da dos outros continentes, com a vantagem de constituir um componente pacífico nas Américas contra a beligerância da Europa; repara no significado continental do adjetivo "americano" e lembra à plateia que a primeira "América" foi o Brasil. Em vista do poder crescente dos Estados Unidos, Nabuco invoca a comum responsabilidade de cuidar da paz, da ordem e da justiça em todas as repúblicas americanas, para que nenhum país fique muito atrás dos outros. Procura uma política de igualdade e de confiança mútua entre todas as nações das Américas. É essa vigilância recíproca que Nabuco quer inculcar tanto no espírito de jovens universitários americanos quanto nos diplomatas. A partir dessa temática, elaborou o seu conceito de civilização nas Américas, com o Brasil e Washington à frente, em mais duas conferências. Na primeira, promove as possibilidades de pesquisa no Brasil em "Scientific Possibilities in Brazil", apresentada no Third Annual Dinner of the Washington University Club, em 16 de fevereiro de 1907. Fala da opulência do Brasil quase na linguagem dos cronistas, invocando os sistemas hidrográfico e geológico, os naturalistas Alfred Russel Wallace[5] e Louis Agassiz,[6] o Jardim Botânico do Rio de Janeiro e seu diretor, dr. Barbosa Rodrigues, e refere-se ao livro de Elisée Reclus.[7] Enumera os nomes de cientistas americanos que pesquisaram no Brasil no século XIX, o geólogo Orville Derby,[8] o paleontologista Charles Hartt,[9] o estudo de recifes por John Branner,[10] e conclui com a hipótese de que o Brasil oferece a maior possibilidade para se avançar no domínio das ciências nas Américas.

Apresenta uma visão otimista e nobre no segundo discurso na Universidade de Yale, em 15 de maio de 1908, quando fala sobre "The Spirit of Nationality in the History of Brazil" para o Clube Hispânico. Ao traçar um panorama histórico-cultural do desenvolvimento do país ("o Brasil e *Os Lusíadas* são as duas maiores obras de Portugal"), Nabuco a cada passo enfatiza as qualidades de um americanismo continental que os Estados Unidos e o Brasil têm em comum. Por causa do abandono e da distância da Europa, compartilham a necessidade de se apoiarem mutuamente, com o *self-reliance* que engendrou um sentimento de nacionalismo desde os tempos coloniais. Houve depois o fator decisivo religioso, no caso brasileiro inscrito por duas letras, S.J., com gênios e gigantes como o Pe.

Antônio Vieira, desenvolvido numa ação missioneira que na frase de Nabuco torna comparável o tratamento das sociedades indígenas nas Américas, do Brasil ao Canadá. Fala das lutas para livrar-se do domínio estrangeiro – seja de holandeses, espanhóis, ingleses ou franceses – e do auxílio que une as mais distantes regiões dos dois países, de "bandeirantes e pioneiros" que entraram no interior para colonizar a terra. Ao lado do bom caráter dos seus governantes, Nabuco coloca uma consciência do tamanho dos países e da promessa do seu futuro, duas qualidades tidas em comum pelas nações, reunidos na primeira conferência pan-americana. E, para concluir, sublinha o idealismo como a característica dominante do país e do seu povo: "Desse idealismo, faz parte o Americanismo. Somos e sempre fomos leaes ao nosso continente. O Brasil nunca poderia acorrentar-se a funções interesseiras ou egoístas; é governado pela imaginação...nunca conheceu um governo arbitrário ou pessoal" (*Camões e Assumptos Americanos*, p. 113). Louva o bom caráter dos administradores que o Brasil teve, que considera leais e responsáveis desde os velhos governadores portugueses. Sobretudo no caso do imperador d. Pedro II, Nabuco cita o seu apoio ao povo, a sua retidão pessoal e a pouca importância que dava ao trono. Havia no Brasil sempre ordem, mas sem sacrificar a liberdade, sem nunca se fazer sentir necessidade de um chefe forte, tipo salvador da sociedade, dizia.

> No Brasil, portanto, jamais a liberdade foi sacrificada á ordem; pelo contrario, apparece constantemente como seu fruto, fruto da mesma arvore da ordem plantada em nossa Independência. (*Camões e Assumptos Americanos*, p. 113)

E, para exemplificar o idealismo brasileiro, invoca a Independência, a abolição da escravidão, a República, a intelectualidade da vida política e até a aspiração, na época, de aumentar o seu território, com referência à disputa com a Argentina submetida ao julgamento do presidente Grover Cleveland,[11] como lembra convenientemente a um público norte-americano.

Uma vez estabelecido esse pano de fundo, Nabuco desenvolve a exposição do conceito da sua teoria de cooperação entre os dois grandes países com a conferência "The Approach of the Two Americas," na Universidade de Chicago, em 28 de agosto de 1908. Invocando a tradicional indiferença dos Estados Unidos pelas repúblicas do hemisfério sul, Nabuco apoia o tratado de defesa mútua oferecido a Washington pelo Brasil, mas nunca concluído. Embora aceite o benefício da "alta civilização" norte-americana, pede um maior intercâmbio com a América Latina, que espalhe o otimismo, a energia e *self reliance* do norte. Já previa, portanto, a relativa desvantagem da consequente "americanização" do continente, mesmo assim tornada vantajosa pelos avanços nas ciências e por um ritmo atual, mais acelerado de vida. Trata do tema da imigração, que considera a maior força comum a todos os países das Américas, em termos que parecem antecipar a antropofagia modernista, ao declarar indispensável para todas as nações um forte poder de assimilação de tudo e todos que chegam, para a futura afirmação de igualdade e a formação de um "sentimento nacional comum". Com o ideal de unir as duas Américas, apresenta e recomenda a formação de uma política pan-americana, enraizada numa única entidade moral e jurídica. Apoia a criação de um tratado continental de paz, uma corte com jurisdição em todas as Américas, um congresso diplomático pan-americano e o reconhecimento de um foro continental acima de leis nacionais. Essas medidas, segundo Nabuco, contribuirão para a formação de uma opinião comum através do continente e para o bem de todos, apoiada no mútuo conhecimento e respeito. São formulações sem dúvida visionárias para a sua época e talvez até para a nossa.

Conclui o seu estudo comparado com uma avaliação das contribuições da América à civilização, na esteira do panorama de Alexis de Tocqueville,[12] citado na conferência "The Share of America in Civilization," enviada à Universidade de Wisconsin para leitura pelo presidente da Universidade, Van Hise,[13] em 20 de junho de 1909. Na avaliação da civilização americana, Nabuco aponta para a imigração, que considera a principal força moderna e de caráter americano. Depois da imigração, coloca a democracia, a igualdade de condições sociais, o sistema de educação e, finalmente, um espírito de perfeccionismo marcado por linhas claras e precisas. Nabuco não chegou a ler a conferência de Wisconsin em pessoa, porque naquela altura já não tinha condições físicas de viajar fora de Washington, mas intelectualmente conseguiu fechar o seu argumento sobre a aproximação política e cultural entre Brasil e Estados Unidos, ao distinguir as qualidades que constituem, na sua opinião, o quinhão da América. Eram três anos dedicados à elaboração da história de uma comum cultura americana, calculada a chamar a atenção do então secretário de Estado Root e do presidente Roosevelt, e a fixar na consciência política os temas que aproximassem as duas grandes nações das Américas. Nabuco conseguira a presença de Root na terceira conferência pan-americana no Rio de Janeiro, em julho de 1906, e desde 1908 Roosevelt planejava uma expedição no Brasil como o marechal Rondon,[14] para 1913–14, cujas dificuldades estão documentadas no livro do então ex-presidente, *Through the Brazilian Wilderness* (1914).

OS DOIS ESTUDOS DE NABUCO sobre Abraham Lincoln contribuíram substancialmente para o seu conceito de americanismo. Em 12/02/1906, aniversário de Lincoln, leu o texto "Lincoln's World Influence" para o Clube Republicano de Grand Rapids, Michigan. Continuaria o estudo de Lincoln três anos mais tarde em Washington numa segunda conferência, "Lincoln's Centenary", como parte da comemoração pelos Comissários do Distrito. No primeiro, Nabuco revela a estrutura e hierarquia que caracterizam seu método, ao distinguir quatro grandes contribuições pelas quais Lincoln influenciou o mundo: o espírito de união nacional; o espírito de grandeza nacional; a integridade da União Pan-Americana, que depois não se dividiu em dois polos políticos; e a magia do seu nome na luta global contra a escravidão. O Brasil e Cuba sobretudo, pensa ele, devem a Lincoln a existência de uma nação totalmente livre, que assim define a verdadeira natureza da civilização americana, evitando entidades motivadas por uma escravidão expansionista. Para os Estados Unidos, Lincoln salvou a União e reconciliou irmãos, provando ao mundo a indivisibilidade e coesão da nacionalidade americana, sendo uma herança que governa o destino, a reputação e a influência do país no mundo. No segundo discurso, Nabuco considera a exemplaridade de Lincoln, na sua Proclamação, de inestimável influência no processo da abolição brasileira, efetuada sem sangue e com o consentimento dos próprios senhores de escravos. Interpreta a Guerra Civil alegoricamente, como uma batalha guiada pela Providência, para melhor assegurar a união e o destino do país e consolidar a sua nacionalidade. Reconhece a presença na ocasião do centenário de um autor sulista, Nelson Page,[15] cujos livros evocam os laços poéticos entre senhores e escravos na cultura de uma família cordial, exemplo que deveria ter provocado no autor brasileiro lembranças de um capítulo das memórias, "Massangana", com uma visão cordial do mundo da fazenda pernambucana no regime escravocrata.[16] Reconhece, porém, o quanto os tempos mudaram e, com eles, o imperativo moral exemplificado pela veneração de Lincoln. Em nome do Brasil, reconhece a dívida a Lincoln por haver fixado para sempre o caráter livre que distingue a civilização americana do continente. Passados cinquenta anos, esses dois textos de Nabuco mereceriam comentário especial do biógrafo de Lincoln, Carl Sandburg, pela acuidade de visão do diplomata brasileiro.[17]

Em 20 de fevereiro de 1907 Nabuco viajou a Buffalo, estado de Nova York, para falar sobre a conferência pan-americana, que dirigiu no Rio de Janeiro, com o texto "Lessons and Prophecies of the Third Pan-American Conference." Repara nas pequenas vitórias, na menor relutância das repúblicas hispano-americanas a se associarem aos Estados Unidos, e na doação por Andrew Carnegie que possibilitou a construção do prédio da futura União Pan-Americana em Washington, D.C. Nabuco argui que o principal benefício do seu pan-americanismo seria conferir ao continente uma política racional, em que a liberdade e visão mútua de responsabilidade moral tomariam o lugar de um permanente estado de revolução. Rejeita o direito à revolução, o seu absolutismo, afirmando que não poderá controlar a história do século XX, recém-começado. Não conseguiu ver realizados esses grandes ideais, evidentemente, mas deu um sopro de vida ao sonho de uma civilização americana, consciente, livre, justa e ordeira.

Além das conferências acadêmicas, Nabuco o embaixador encantou Washington com textos de ocasião sobre assuntos políticos e sofisticados brindes em funções sociais. Em 18 de maio, num jantar de gala na embaixada brasileira em Washington, faz um brinde ("Toast") ao presidente Roosevelt, em homenagem ao almirante Huet de Bacellar e aos capitães dos navios brasileiros de visita à exposição de Jamestown, Virginia. No ano seguinte, em 11 de maio, profere um discurso na ocasião da colocação da primeira pedra para a construção do prédio da União Pan-Americana. Em 15 de dezembro, na Corcoran Gallery, fala para o American Institute of Architects na abertura de uma exposição das obras do escultor Saint-Gaudens.[18] Acelera o seu ritmo de vida em 1909 com a recepção do novo governo nacional de Cuba, num jantar em La Habana oferecido ao vice-presidente da República e membros do gabinete cubano, em 31 de janeiro. Em seguida, em 26 de fevereiro oferece um tributo ao secretário de Estado Root, alvo da estratégia política binacional, num jantar de homenagem oferecido pela Society of New York no Gridiron Club.

II : AS CONFERÊNCIAS CAMONIANAS

Nabuco deu inicio às conferências sobre Camões na Universidade de Yale, em 14/05/1908, frente aos alunos reunidos, com "The Place of Camões in Literature." Na conferência, Nabuco escolhe uma série de rótulos, de fundamento romântico, que deverão exprimir as qualidades mais altas da obra camoniana, categorias que definem, por sua vez, a herança cultural luso-brasileira para o seu tempo. O herói da história épica é coletivo, do "peito ilustre Lusitano...Aquelles que por obras valorosas/Se vão da lei da morte liberando." O primeiro atributo que preza nos *Lusíadas* é a perfeição, contribuição estética da "raça portuguesa" sob a influência latina: "A perfeição, uma vez attingida, deve ser apenas copiada. A perfeição é final" (*Camões e Assumptos Americanos*, p. 4). E perfeição equivale a heroísmo: "Aquelles que por obras valorosas/Se vão da lei da morte liberando." *Os Lusíadas* de Nabuco é um poema de viagens heróicas, por mar,

> Já no largo Oceano navegavam,
> As inquietas ondas apartando,
> Os ventos brandamente respiravam,
> Das naus as velas côncavas inchando:
> Da branca escuma os mares se mostravam
> Cobertos, onde as proas vão cortando
> As marítimas águas consagradas,
> Que do gado de Próteu são cortadas. (1, 19)

e pela observação da natureza:

> Tão brandamente os ventos os levavam,
> Como quem o Céu tinha por amigo;
> Sereno o ar, e os tempos se mostravam
> Sem nuvens, sem receio de perigo.
> O promontório Prasso já passavam
> Na costa da Etiópia, nome antigo;
> Quando o mar descobrindo *lhe* mostrava
> Novas ilhas, que em torno cerca e lava. (1, 43)

Comenta no poema épico a sua precisão pictórica e percepção estética, também perfeitas: "Aos navios chama 'nadantes aves', *swimming birds*" (*Camões e Assumptos Americanos*, p. 10). Aos marinheiros que viram sumir o horizonte do Tejo, atribui implicitamente uma expressão de saudade e de melancolia comparável ao celebrado poema, "Canção do Exílio," do poeta romântico brasileiro, Gonçalves Dias: "Qual é o Portuguez que já viu desapparecer as margens do Tejo no horizonte sem relembrar a ultima impressão fixada por Camões? (*Camões e Assumptos Americanos*, p. 10):

> Já a vista pouco a pouco se desterra,
> Daqueles pátrios montes que ficavam.
> Ficava o caro Tejo e a fresca serra
> De Cintra; e nela os olhos se alongavam.
> Ficava-nos também na amada terra
> O coração, que as mágoas lá deixavam;
> E já, *despois* que toda se escondeu,
> Não vimos mais, enfim, que mar e céu. (v, 3).

A segunda grande impressão do poema é a da expansão de um império, mas não mais entre a Europa e a Ásia; Nabuco consegue chegar ao oeste ao viajar para atingir o leste, as duas margens que o poema une sendo a Europa e a América, pois esta possui no julgamento de Nabuco uma modernidade e um futuro muito maior do que os da Ásia. Terceiro, louva o poder criativo e de imaginação do poema, capaz de transformar um "tedioso diário de bordo" em grande poesia, com figuras inesquecíveis como "O Velho do Restelo" e "Adamastor", símbolos para esse leitor de sabedoria e de determinação. Depois, Nabuco vê exemplificado o Renascimento na representação plástica, ligando a poesia de Camões diretamente à pintura de Rafael: "Nunca visitei a Farnesina sem sentir que Camões e Raphael eram artistas gemeos" (*Camões e Assumptos Americanos*, p. 19). No emprego da mitologia Nabuco entende a sobrevivência de um paganismo politeísta, como queria Fernando Pessoa.

A seguir na leitura do poema, Nabuco vê o encaminhamento de quatro dos sentimentos mais altos da vida – "Pátria, Amor, Poesia, Ação" – que eram para a geração de Nabuco valores tanto românticos quanto político-culturais. Nesse sentido, não se trata apenas de um poema ético, mas de uma vivência forjada na necessidade e na pobreza, a que não falta a lição do amor ligado ao progresso e ao herói: "Que um baixo amor os fortes enfraquece" (III, 139). Nabuco passa a impressão de que o poema nunca teria sido escrito se Camões tivesse prosperado em Portugal, se nunca tivesse sido condenado ao exílio da viagem e da pobreza, como nos notáveis casos de Dante e Milton.[19] Nesse ponto observa-se a mão do destino e do sublime, tão caros a Nabuco: "[sem essa viagem, Camões] produziria talvez outro poema egualmente bello mas nunca tão vibrante... vê-se a figura do poeta sob o imperio do destino que quer a creação dos *Lusíadas*." É por esse caminho que Nabuco chega à qualidade máxima que admira nessa obra: além do belo, a glória, o gênio, a imortalidade. Quer que os seus jovens ouvintes de Yale, provavelmente descendentes de puritanos, se considerem "os filhos pela inteligência" dessa obra de cultura latina, agora pedra de toque de uma grande nação das Américas. E deixa como a lição da sua comunicação um segredo da política cultural da sua geração e da sua época, que é a de uma formação e de um raciocínio estéticos: "[As] medidas intellectuaes devem ser observadas em profundidade, largura e elevação, e não só em palavras, mas em traço, em cor, em musica" (*Camões e Assumptos Americanos*, p. 29). Através de Nabuco, Camões empresta o seu espírito e a sua arte às Américas, e a sua voz ao Brasil.

No discurso "Camoens, the Lyric Poet" (Vassar College, Poughkeepsie, Nova York, 21 de abril de 1909), diante de uma plateia feminina, Nabuco conta a história da vida de Camões, dando relevo à história de sua paixão pela misteriosa "Catherina de Athayde". Revela um grande talento de *raconteur*, interpretando o drama de Camões em termos ultrarromânticos – de uma paixão sem esperança e de um exílio resignado, sem saber que falecera a sua amada – e ligando esses temas à obra lírica. Parecia um conto oral, conjugando a vida do vate com a leitura de suas obras, como faziam os biógrafos citados na exposição erudita: Wilhelm Storck, o Visconde de Juromenha e Teófilo Braga.[20] Além de contador de histórias, Nabuco revela a sua dedicação à tradução da obra camoniana para o inglês, como se fora um Richard Burton,[21] ao dizer-se um profissional dedicado mas não obcecado. Leu para as alunas de Vassar as suas traduções de onze sonetos para exemplificar a sua exposição sobre o poder expressivo e a resignação emocional do poeta: 65 ("O culto divinal se celebrava"), 3 ("Está o lascivo e doce passarinho"), 4 ("Está-se a Primavera trasladando"), 134 ("Tornai essa brancura à alva açucena"), 79 ("Amor é um fogo que arde sem se ver"), 21 ("Transforma-se o amador na cousa amada"), 16 ("O cisne, quando sente ser chegada"), 143 ("A frescura desta fresca serra"), 46 ("Aquela triste e leda madrugada"), 87 ("Que poderei do mundo já querer") e 48 ("Alma minha gentil que te partiste").[22] Ainda traduz um longo trecho da redondilha "Carta a uma Dama" e a Canção x inteira ("Vinde-cá o meu tão certo secretário"). As traduções, de alta qualidade, mereceriam publicação à parte.

A exposição, portanto, como nas demais conferências, não escondia os seus fins didáticos e pedagógicos. Nabuco quer deixar nas alunas uma forte impressão de Camões como um dos maiores poetas líricos, ao lado da obra de Dante e Petrarca, tradição à qual pertence a camoniana. Aproveita-se do tema de sofrimento romântico para ensinar às suas ouvintes um vocábulo igualmente expressivo e caro à língua portuguesa: saudade. Precisa-se, explica Nabuco, de quatro palavras em inglês para traduzi-lo: "*remembrance, love, grief, and longing*". Com essa palavra, pretende também distinguir a "raça" gerada pela língua portuguesa, seguindo o conceito daquela época: nostálgica, solitária, triste, intimamente ligada ao passado. Uma vez atiçado o interesse da plateia feminina por uma grande história de amor, ligando paixão à escritura, ainda explica às ouvintes uma convicção pessoal e racional: que o pesar que acompanha os sofrimentos amorosos não iguala, na sua opinião, as "verdadeiras tragédias da alma", tais como se leem nos *Salmos*, no *Livro de Jó* ou na *Divina Comédia*. A escravidão, mesmo que não mencionada, deveria figurar como uma das tragédias superiores ao sofrimento amoroso. Criticando os hábitos modernos de leitura indiscriminada, ou apenas por lazer, Nabuco acha indispensável, mesmo um dever para a inteligência, o recordar-se do passado, reter a "raça" na memória e viver novamente na poesia e lenda dos grandes autores, Homero, Dante, Camões. Seria triste, diz Nabuco, se o grande desenvolvimento material da modernidade tivesse como consequência um encolhimento da imaginação, frente ao dever de guardar os legados do pensamento humano através dos tempos. Na leitura de *Os Lusíadas*, há heroísmo apoiado pelo amor de Vênus, cujo poder representa a irresistível força da mulher, os milagres regidos por beleza e gentileza. Lembra Nabuco que o Brasil é ainda o único país latino-americano a ser governado uma vez por uma mulher, a princesa Isabel, talvez comparável no ato de emancipação à influente autora norte-americana Harriet Beecher Stowe. Por conclusão, e para distinguir a plateia de Vassar, da mesma maneira que indicara a imigração como a maior força do século XIX, nomeia como a principal do século XX o progresso social da mulher. Nesse sentido, Vassar representa a formação superior sonhada no Brasil para a mulher brasileira. Merece de Nabuco uma suprema homenagem luso-brasileira, a sua incorporação num verso de *Os Lusíadas*, emendado por ele para substituir o Mondego pelo Hudson e Coimbra pelas mulheres de Vassar.

Dois dias depois, em 23 de abril de 1909, Nabuco fala sobre "The Lusiadas as the Epic of Love" na Universidade de Cornell, em Ithaca, estado de Nova York. Põe o dedo num dos principais obstáculos que enfrenta como embaixador do Brasil: os americanos acham que se fala espanhol no Brasil, portanto empregam o adjetivo hispano-americano para significar a América Latina inteira. "Poderia estar certo," observa Nabuco, "se usassem a palavra *Hispania* no sentido incluso que hoje se usa *Ibéria*." Dedica a sua exposição a distinguir a língua portuguesa da espanhola e Portugal, como país, de seu vizinho. Passa à biografia de Camões e sua história de amor e desespero. Se em Vassar falou da obra lírica, em Cornell vai interpretar a épica a partir de três temas que considera principais: o amor como hábito do autor, o seu conhecimento íntimo dos clássicos e a sua ambição nacional. E da mesma maneira que leu as suas traduções da obra lírica em Vassar, desta vez vai ler trechos traduzidos de *Os Lusíadas*. Começa com o episódio de Inês de Castro e passa para Adamastor, a tempestade no Canto VI, que acaba com a descrição das ninfas de Vênus, a forja de Cupido no Canto IX e alguns versos que exprimem a imortalidade coletiva. Interpreta o poema épico em termos de amor, dever, religião e patriotismo, explicando que a língua portuguesa é chamada a "língua de Camões." Por inferência, a cultura luso-brasileira compartilha os mesmos valores. A sua retórica não é isenta de humor nem de leve ironia: lembra que fala aos alunos num momento em que não mais existe a época da escrita (*age of writing*) mas a época da máquina de escrever (*age of typewriting*), para a qual o manuscrito já morreu. Mas Nabuco não abre mão da afinidade que considera natural entre a inspiração e a pena. Monarquista ao serviço da República, Nabuco combina da mesma forma um tradicionalismo no mundo das letras com o progresso científico no currículo moderno americano. A pesquisa científica que marca o futuro, exemplificada pelo trabalho dos naturalistas no Brasil, deveria ser acompanhado pelo estudo dos grandes clássicos, a começar por Homero. O seu conceito de uma formação moderna consiste em dois polos, ciências e letras, sempre ao serviço de uma cultura americana no mais amplo sentido; no desejo de combinar a pesquisa científica moderna com o estudo das letras clássicas, Nabuco antecipa a debatida "teoria de duas culturas" do intelectual inglês C. P. Snow.[23] O seu americanismo, necessariamente científico e literário, não é uma invenção *sui generis*, mas uma resposta americana ao drama da humanidade, mais bem aprendido na obra dos grandes naturalistas e igualmente na leitura das grandes obras da literatura clássica.[24] Essa é a vertente principal das conferências americanas de Nabuco. Sobrepondo-a ao conhecimento das ciências, repete para os alunos de Cornell a exortação sobre o dever de ler os grandes autores – Homero, Dante, Camões, Shakespeare – cuja obra, como artigo de fé, transcende qualquer consideração material e qualquer época. Coloca Camões, símbolo da língua e da nacionalidade luso-brasileiras, entre os grandes nomes e ideais conhecidos pelo seu público jovem.

III : JOAQUIM NABUCO NA UNIVERSIDADE DE YALE

Nos diários do senhor embaixador Joaquim Nabuco, primeiro representante do governo brasileiro aos Estados Unidos, para a data de 14 de maio de 1908, lê-se o seguinte registro:

> Seguimos para New Haven, eu, o Shannon e Maurício. Recebido na estação pelo secretário da Universidade, Rev. Anson Stokes, e o prof. Lang. Tomamos chá com Mrs. Stokes e às 5h faço minha conferência sobre Camões. Jantamos no Club da Universidade. Doze à mesa. Na minha conferência, introduzi o sistema de pedir a um estudante da Universidade que lesse os grandes trechos de Camões que citei. O estudante foi Mr. Williams, filho do prof. F. Wells Williams. (Joaquim Nabuco, *Diários*, p. 671)

Trata-se da primeira de seis conferências apresentadas pelo embaixador em universidades norte-americanas no período 1908–1909.

O propósito de Nabuco, nesse empreendimento, é ser não apenas o embaixador de um país, mas de toda uma língua e cultura, e de um continente e de uma vivência comum; ele espera chamar a atenção dos alunos americanos, que desconhecem completamente o Brasil, e conquistá-los ao abordar as matérias que estudam e entendem bem dentro do seu currículo acadêmico: o latim, que foram obrigados a falar, a poesia épica, a filosofia, a ética e a história cultural e política americana. E ainda, tenta conquistar o seu público com temas inusitados: em 1908 os alunos americanos de Yale ainda se juntariam para ouvir um diplomata distinguido falar sobre Camões e até, embora menos numerosos, sobre o sentimento de nacionalidade no Brasil. As conferências americanas de Nabuco na Universidade de Yale interessam igualmente aos estudos camonianos e ao tema da identidade nacional, porque mantêm uma visão ao mesmo tempo heroica, ética e erótica-amorosa da poética dos descobrimentos e da fundação do país. A leitura de Camões é nobre, romântica e heroica, sem distinção. A viagem marítima e o encontro de terras e povos novos são os temas que ainda dominam a sua visão do mundo, refletindo o longo período colonial e imperial, enquanto também pretendem servir de exemplo e de lição para o jovem país em transição.

Na sua biografia, a *Vida de Joaquim Nabuco por sua filha Carolina Nabuco* (1928), a autora explica as razões que levaram o senhor embaixador a procurar a academia para expor as suas ideias e a tratar de seus temas preferidos:

> Entre os scenarios, muito variados, destes discursos a que a posição de embaixador o obrigava, o quadro que mais agradava a Nabuco era o das Universidades. Falar á mocidade americana consolava-o de não poder nesse fim de vida, dirigir-se á brasileira. Expansivo de natureza, era-o ainda mais com os estudantes, e o que havia nelle de apostolo dera-lhe na velhice o amor ao professorado, a ambição suprema de falar longamente antes da morte a seus jovens patricios. Diz uma sua carta de 1909: "Minha ambição neste final seria falar á mocidade, semear os sentimentos e as ideias com que já agora hei de partir da vida, e que portanto para mim são eternas. Acredito que poderia fazer um testamento politico que fosse uma carta dos recifes que temos pela prôa e do rumo que devemos seguir para evital-os. A maior gloria de todas é formar discipulos, isto é, reviver politicamente em outra geração, prestando ainda serviços ao paiz. Receio, porem, que a ambição seja demasiada para mim agora."
>
> E era tambem nesse quadro das universidades que sobresahiam com maior relevo, e eram melhor comprehendidas, suas qualidades literarias e espirituaes, a vasta cultura que lhe fazia merecer o epitheto de *scholarly*, a fineza de seu juizo critico, e, no paiz do util, o seu ardente amor ao bello. (*A Vida*, p. 472)

A atração pela academia sai claramente no aviso enviado por Nabuco a Machado de Assis, numa carta de Washington datada de 8 de junho de 1908:

> (...) Vou receber este ano o grau de doutor em Letras por Yale, e a Universidade de Chicago convidou-me para pronunciar o discurso oficial no encerramento do ano letivo, ou no dia da colação dos graus, o que é uma grande honra. (...) Também comprometi-me a pronunciar para o ano o discurso oficial em um dos grandes dias da Universidade de Wisconsin (...) Estou muito contente pelo Brasil com tôdas essas honras, que são principalmente feitas ao país. (*Cartas*, p. 308)

Logo vem a resposta desejada do mestre Machado numa carta de 28 de junho:

> Meu querido Nabuco. Deixe-me cumprimentá-lo pelas suas conferências que aí fez e pelo discurso proferido na cerimônia da União das Américas; saíram todos no *Jornal do Comércio*. Você não deixa esquecer este país onde quer que esteja, como não esquece os amigos velhos, e agradeço por mim que recebi o exemplar do *Washington Post* com o discurso. A conferência acerca do papel de Camões na literatura veio mostrar ainda uma vez o estudo que tem feito desde a primeira mocidade relativamente ao poeta e ao poema. Traz com apreciações novas e finas, o mesmo largo alcance da crítica e o claro e eloquente estilo do costume. O mesmo digo da conferência sobre a nacionalidade do Brasil. Realmente os homens que V. aponta da América Latina têm jus à comunhão do espírito da grande nação em que o nosso governo tão acertadamente o colocou para representar a nossa. Enfim, dou-lhe os meus parabéns pelo seu doutoramento na Universidade de Yale. (Machado de Assis, *Obra completa*, p. 1089)

E no 10 de agosto, Nabuco volta à carga:

> (...) Muito lhe agradeço suas boas palavras sobre as minhas conferências de Yale. A 28 de agosto devo estar em Chicago, já lhe disse. Aqui levo uma vida de peregrino, de universidade em universidade. (*Cartas*, p. 310)

Essa missão de universidade em universidade não era isenta de desafios, de maneira que cada conferência representava mais uma vitória para o embaixador-intelectual-conferencista itinerante, como confessa no seu diário a 8 de junho:

> Escrevo ao Machado e ao Rodrigues. A este lembro Yale para o catálogo, a Hispanic Society e digo: "Aí devem pensar no meu substituto e insinuar-lhe que pratique o inglês. Aqui só se fala inglês. Tudo está mudado em Washington. O Bureau das Repúblicas Americanas que, quando eu cheguei, parecia um foco de conspiração e má vontade contra os Estados Unidos, depois do exemplo do Brasil tornou-se um campo de liça, em que os combatentes lutam pelo primeiro lugar na amizade e confiança americana. Ainda bem....mas quisera uma ocupação que não me pusesse tanto em evidência, obrigasse a tanta representação e que não me fechasse o ano inteiro no círculo de ferro da língua inglesa e não nos isolasse tanto. (*Joaquim Nabuco Diários*, p. 673-674)

Em outra carta de 23 de maio, noticiando a superação desse obstáculo, comenta que "Na Universidade de Yale fui muito bem recebido...", impressão confirmada nas reportagens de época no jornal universitário, *Yale Daily News*, o mais antigo do país:

> *Yale Daily News*. Tuesday, May 5, 1908
> "Brazilian Ambassador to Lecture" Illustrious South American Diplomat Here on May 14 and 15. "Joaquim Nabuco, the Brazilian Ambassador to the United States, will address the University on Camoens, the famous Portuguese poet, in Lampson

> Hall on Thursday, May 14, at 5 o'clock. [At the request of the lecturer, W. Williams, 1910, will also read a prose version of two extracts from "The Lusiads."] The following day he will speak under the auspices of the Hispanic Club on "The National Spirit of Brazil."

Já em 15 de maio, na primeira página, o jornal estudantil comenta o sucesso do embaixador: "As a large and appreciative audience greeted Senor Nabuco when he spoke yesterday on 'The Poetry of Camoens', an unusual attendance is again anticipated tonight." Nos diários, Nabuco não comenta as conferências, registrando apenas os detalhes sociais da sua recepção:

> 15 maio
> Almoçamos eu, Shannon, Maurício com os Stokes, depois Mrs. Stokes nos faz dar um passeio com ela no *phaeton* para ver os arredores de New Haven que são lindos, sobretudo com o verde novo da folhagem. Jantamos com o prof. Lang. Depois faço a minha conferência sobre o *Espírito de Nacionalidade no Brasil*. (*Diários*, p. 672)

A passagem de Nabuco por Yale é ainda documentada em trechos do boletim semanal, *Yale Alumni Weekly*, na primeira instância agradecendo a doação à biblioteca da Universidade de documentos relacionados às negociações sobre a fronteira entre o Brasil e a Guiana Inglesa:

> Special vote of thanks were passed by the Corporation... to His Excellency, Senor Nabuco, the Brazilian Ambassador to America, who lectured at Yale last week, for his gift to the University Library of an important collection of Brazilian government publications, consisting of a complete collection of documents relating to the negotiations carried on several years ago in regard to the boundary line between Brazil and

British Guiana... p. 834 Vol. XVII, no. 35 (May 20, 1908). *Yale Alumni Weekly*

E, ainda, encontra-se no número de 8 de julho, na lista de títulos honorários concedidos pela Corporação, a indicação do seu nome para receber o título de "Doutor em Letras", levando a identificação singela: "Joaquim Nabuco. Brazilian Poet and Diplomat."

Litt. D.
Joaquim Nabuco. Brazilian Poet and Diplomat. (YAW, July 8, 1908). Vol XVII, nº. 40.

IV : POETA E DIPLOMATA

Ao conceder o doutorado *honoris causa* em letras ao poeta-embaixador (ao contrário da Universidade de Columbia, que deu-lhe o doutorado em direito), a Universidade de Yale talvez não tenha avaliado que, com o diploma, prestigiava o elo entre o literário e o político que, segundo estudo de Antonio Candido (1985), caracterizava os membros da elite intelectual brasileira desde antes da Independência. Ítalo Moriconi nos lembra, num ensaio sobre Nabuco estadista ("Um estadista sensitivo"), que o homem público brasileiro se sentia mais autêntico e gostava mais da vida literária, mesmo quando se dedicava quase exclusivamente a assuntos de Estado. Ao tratar das grandes figuras que faziam a transição entre Império e República em fins do XIX, Moriconi os considera, embora em graus diferentes, como literatos:

> Rui [Barbosa] e Nabuco são literatos, mas não exclusivos como Machado. E são políticos e dirigentes (administradores), mas não exclusivos como Rio Branco. São literatos no sentido de que a personalidade intelectual no século 19 se forma a partir ou com base numa formação literária. A literatura é um discurso pivô no repertório discursivo-cognitivo das gera-

ções intelectuais pós-70 do século retrasado. ("Rui Barbosa pós-moderno?")

Ao escolher como tema para sua primeira conferência diante dos alunos de Yale "O Lugar de Camões na Literatura," Nabuco não apenas reforça a sua preferência pelo literário, retomando o interesse por Camões que o acompanhava pela vida inteira, como também a partir das qualidades estéticas da língua e da literatura, apresenta aos alunos de Yale um alto conceito de cultura, ligado ao classicismo e ao universalismo dos descobrimentos. A sua escolha da épica camoniana é prova de que o literário alimentou toda a sua relação com a política, ou mais especificamente com uma cultura política, entendida no seu parâmetro estético. No momento de escrever *Minha formação* (1899), confessa no diário que ["...] meus erros foram desvios de idealização; eu nunca teria podido confessar uma ideia, uma crença, um princípio, que não fosse para mim um ímã estético [...] (1999, p. 79-80). Escreve Carolina na biografia:

> Revelar Camões aos Americanos era fazer propaganda da lingua portuguesa e tratar de um assumpto que o deliciava. O amor a Camões, que, aos vinte annos, lhe inspirára o primeiro livro, *Camões e os Lusiadas*, o acompanhou toda a vida. Aos sessenta, compõe ainda diversos sonetos a Camões, que deixou ineditos, e nota no diario: "Lendo os 'Lusiadas' – este é o livro verdadeiramente meu companheiro e o foi sempre. Sinto não saber mais delle de cór, mas a Ilha dos Amores e a supplica de Venus a Jupiter, é preciso que a torne a apprender para fazerem companhia ao Adamastor e a Ignez de Castro que nunca esqueci". (*A Vida*, p. 473)

É no seu conceito de cultura, oriundo da Europa e herdado da história, porém, que se esconde, segundo o brilhante ensaio de Silviano Santiago, "Atração do Mundo," um dos polos das contradições políticas da história recente do país, vividas por Nabuco. O estadista vive uma crise de representação, onde os valores universais de cultura, sempre distantes, têm de ser construídos através de um longo período de aprendizagem e não simplesmente presenciados ou buscados numa identidade nacional. Silviano o caracteriza por uma perspectiva dominada pela "curiosidade intelectual pelas coisas do mundo" e pelo desinteresse na sua participação na política local:

> A pátria que fascina o coração não ilude a cabeça e, por isso, o 'grande espetáculo' do mundo é o que 'prende e domina a inteligência'... Nos anos da juventude e da maturidade, sentado na platéia do palco brasileiro, onde se encena o drama menor da jovem nação, Nabuco almeja estar na platéia do grande teatro da humanidade, onde se desenrolam as peças sedutoras e definitivas do século. ("Atração", p. 34)

Nabuco compartilha a interpretação do "instinto de nacionalidade" com Machado de Assis, sendo a vida brasileira uma participação e uma recapitulação *sui generis* dos grandes arquétipos da civilização ocidental, encontrados na Europa. O seu impulso universalista parece distanciá-lo da realidade americana: "As paisagens todas do Novo Mundo, a floresta amazônica ou os pampas argentinos, não valem para mim um trecho da Via Appia, uma volta da estrada de Salerno a Amalfi, um pedaço do cais do Sena à sombra do velho Louvre" (1900: 42). Para se situar, ele escolhe o ponto de vista de um observador culto porém alienado, comparável ao do grande romancista e, antecipando o exílio no Brasil de um Ricardo Reis, esteta e monárquico, Nabuco observa "o espetáculo do mundo", com o fim de detectar e analisar as raízes de sua cultura, valorizando sobretudo as origens europeias, comunicadas por um sentimento íntimo de expressão artística:

> – eu trocara em Paris e na Itália a ambição política pela literária, voltava cheio de ideias de poesia, arte, história, literatura,

crítica, isto é, com uma espessa camada europeia na imaginação, uma camada impermeável a política local.... (1999, p. 78)

Para a imaginação de Nabuco, o Brasil é um dos palcos da humanidade e ele o espectador, comparável talvez no seu ofício de escritor-embaixador ao Conselheiro Aires de Machado. No capitulo de *Minha formação*, "Atração do Mundo", Nabuco explica o seu ponto de vista narrativo, empregando uma metáfora do teatro, dessas tão caras à obra de Machado: "... Sou antes um espectador do meu século do que do meu país, a peça é para mim a civilização, e se está representando em todos os teatros da humanidade, ligados hoje pelo telégrafo" (1999, p. 44). Trata-se de um espectador duplamente ausente, porque fica entre dois polos desestruturados, o Brasil que defende e do qual sente saudades quando viaja no Mundo, e a cultura mundial que estranha quando de volta na sua Massangana no Brasil. E ainda mais, é um espectador míope, longe demais dos palcos, deitado numa poltrona provinciana, porém considerando-se conectado aos quatro ventos pela tecnologia da época, o telégrafo, como nos explica Silviano:

> Ao se autocaracterizar como espectador mais interessado pelo drama teatral do século do que pelo do país onde nasceu, considera o espetáculo do mundo como o de uma civilização em plena efervescência dramática. Eis a razão pela qual a grande peça de teatro que se representa nos teatros da Europa o atrai irresistivelmente. Morando em país provinciano, está distante do palco onde a grande peça se desenrola, mas dela pode ser espectador no conforto do lar em virtude dos meios de comunicação de massa modernos, no caso o telégrafo. ("Atração", p. 32)

Ao chegar a Washington, D.C. em 1905 como o primeiro embaixador brasileiro, Nabuco vira homem de ação, ator e porta-voz de uma política pan-americana, aliada aos interesses de Roosevelt, para promover o Brasil e estreitar os laços entre os dois grandes países. Nos auditórios das universidades, começando pela Universidade de Yale, Nabuco pôde trocar a sua cadeira de espectador no teatro da humanidade pelo papel de diretor e personagem principal, para além daquele de um embaixador, talvez um zamorim ou vice-rei das Índias, um intérprete da grande cultura representada pelo mundo da expansão portuguesa, um dos temas d'*Os Lusíadas*, apresentada no recinto de uma das universidades mais prestigiadas do mundo. Em Yale, o espectador se torna escritor e ator, declamando o seu texto num grande palco da civilização, onde o ator é uma figura triplamente ausente, consoante com o desconserto da épica camoniana: longe da pátria (Brasil), longe das fontes estéticas e filosóficas do seu mundo de referência (Lisboa e o classicismo), e persona ou alter-ego da sua própria história, discursando numa língua difícil. A tarefa é heroica mas as probabilidades de sucesso são mínimas, pois apresenta às plateias assuntos ignorados, senão completamente esquecidos, desde um mundo cultural que fica além do horizonte dos jovens americanos. Nem por isso perde a esperança ou o vigor.

V : O ORADOR E ENSAÍSTA

Quem é esse orador apaixonado, ilustre e culto embaixador de um pais tão pouco conhecido e estudado nas universidades americanas, e por que escreve e fala com tanto brilho e tanta perfeição sobre as qualidades heroicas, éticas e estéticas de sua cultura? – deveriam ter se perguntado aqueles poucos mil alunos de Yale que tiveram a sorte de ouvir Nabuco. Ter-se-iam dado conta de que era para chamar a atenção dos jovens universitários "para o que é digno de nota nas suas irmãs do Sul" (*Camões e Assumptos Americanos*, p. 116), como se reconhecessem e respeitassem qualidades continentais e não apenas nacionais? O embaixador na sua conferência quer conseguir o quase impossível, colocar o Brasil em pé de igualdade com o dos grandes valores e das correntes principais da civilização norte-americana, ressuscitar as grandes obras de cultura latina e clássica do mundo luso-brasileiro e, como representante do político letrado, acima de tudo, deixar uma impressão imortal, digna e inesquecível da sua terra. Tal foi a impressão que ele deixou mesmo entre brasileiros, aqui registrada por um jovem Alceu de Amoroso Lima em 1906:

> Só vi Joaquim Nabuco uma vez na vida: de relance e na adolescência. Mas bastou para que ficasse gravada, para sempre, em minha retina, a imagem mais fulgurante do humanismo brasileiro em sua encarnação pessoal. Vi-o antes de lê-lo e, quando o li, revi-o tal qual o havia visto antes de o ler. O espírito e o corpo formavam nele uma unidade tão harmoniosa, que até hoje nenhum dos nossos compatriotas o excedeu. Nem mesmo se lhe equiparou. Continua solitário, único, inconfundível... [...] vejo ao longe dois vultos que se aproximavam [...] logo reconheci Eliah Root, o famoso delegado norte-americano e o nosso Nabuco. Fiquei siderado. O busto alevantado [...] um rosto aberto, iluminado por dentro de uma luz interior que completava a luminosidade do crepúsculo nos cabelos, olhos serenos e olímpicos, o chapéu, indispensável na época, mas na mão, o que já representava uma audácia [...] Em tudo uma grandeza, uma serenidade, uma harmonia, uma paz e tanta simplicidade humana [...] Nabuco continua a ser, para mim, o grande reconciliador... (Lima, 1965, pp. 6–7)

Não deixa de ser um tipo de heroísmo e a um alto custo: abandonar a poltrona erótica-afetiva do observador, exilar-se da terra natal através de viagens transoceânicas nem tanto heroicas, elaborar os seus altos conceitos no "círculo de ferro da língua inglesa" nos palcos das universidades de Yale, Vassar, Cornell, Chicago e Wisconsin, numa peregrinação que talvez exigisse uma tenacidade comparável à dos jesuítas barrocos. Tudo isso Nabuco fez, mas não sem uma sobra de melancolia, de sacrifício por vontade, de sentimento de dever e de legado pessoal ao futuro, de um testemunho que precisava deixar de tudo que aprendera e amara, fruto de uma vida privilegiada pela cultura e fortuna. Acompanhemos o registro no diário da última viagem de saída do Brasil, a 18 de outubro de 1906, com a impressão derradeira da terra natal:

> Acompanhamos a costa, ao longe Maceió, depois de horas o Cabo de Santo Agostinho, toda a paizagem familiar da costa Pernambucana, a orla branca da praia, os coqueiros, as collinas verdes; á tarde defronte de Recife. Não desembarco. Depois que vão os amigos, os moços da Academia, fico a olhar para o occaso que flammeja como um Turner sobre Olinda; a noite a lua forma um navio, uma caravella de oiro, sobre uma nuvem negra. E assim me despeço do Recife, talvez para sempre. (*A Vida*, p. 465)

Encontramos nessa confissão pessoal os mesmos elementos de composição e de pensamento que formaram as suas conferências sobre Camões e a sua missão aos alunos americanos: aí está o observador, ainda a bordo, observando a paisagem como se fosse um quadro, o seu navio uma caravela dos descobrimentos, na forma do luar, ocultada pela sombra de sua melancolia, por um lugar imaginado ou distante, fora do tempo e fora da geografia.

Ao falar na Corcoran Gallery em Washington, D.C. sobre o escultor Saint-Gaudens, a 15 de dezembro de 1908, ou seja, seis meses depois das conferências de Yale, Nabuco continuava a refletir sobre a consciência, a ética e a estética das aspirações dos indivíduos e das nações. Afirma nos seus breves comentários que, através da esperança, do desejo e do amor – seguindo o exemplo do conceituado escultor – chega o artista a se unir com a matéria-prima, com o fluxo eterno, tal como deveria ter entendido Camões na filosofia da sua poesia lírica:

> Somos gotas no oceano, mas todos queremos ter a consciencia do Oceano, e não sómente a da gota. Em cada um de nós,

aqui presentes, esta consciencia reflecte a imagem do grande esculptor americano. Isto é gloria, isto é immortalidade. (*A Vida*, p. 471)

Se as suas conferências são gotas no oceano, Nabuco continua a pensar no oceano, apoiado pelo idealismo da totalidade de suas aspirações, no legado do seu pensamento e da sua mensagem. Ao sair de Yale, e depois da sua atuação nas conferências universitárias que se seguiram nos palcos da academia, nas instituições mais destacadas dos Estados Unidos, pelo registro e pela poesia de suas palavras Nabuco alcançou uma perfeição possível, merecendo ele mesmo pelas conferências, se por um instante, as mesmas palavras com que louvou o grande escultor: "Isto é gloria, isto é immortalidade" (*A Vida*, p. 471). No ciclo das conferências universitárias, apareceu este outro Nabuco, o mestre, o embaixador-poeta, porém ausente e mortal, longe da sua terra, porta-voz de uma cultura esquecida, nos grandes palcos da sabedoria universal.

O Congresso de abril de 2008 na Universidade de Yale, celebrando o seu centenário, solicitou novos trabalhos sobre Nabuco de especialistas e estudiosos, apresentados no presente volume, testemunhando a atualidade do seu pensamento e do seu americanismo.

Yale University
2009

NOTAS

1 Não obstante as duas traduções ao português publicadas em livro, os textos originais redigidos em inglês merecem ser conhecidos e lidos, pelo requinte estilístico, pela brilhante exposição retórica, pela clareza de pensamento e pela arguição sutil. Saiu a primeira tradução brasileira em 1911 sob o título *Discursos e conferências nos Estados Unidos*, tradução de Artur Bomílcar, Rio de Janeiro, B. Aguila, 1911; e uma segunda tradução em 1940 por Carolina Nabuco, *Camões e assuntos americanos, seis conferências em universidades americanas*, Edição Uniforme das Obras de Joaquim Nabuco, São Paulo, Rio de Janeiro, Companhia Editora Nacional, Civilização Brasileira, 1940. Muitos dos textos originais em inglês das suas conferências foram publicados, a maioria em pequenas tiragens da própria embaixada de Washington, ou em revistas ou separatas, mas existem em cópias únicas, localizadas principalmente na biblioteca de Yale e em duas ou três mais, onde foram parar por razões desconhecidas. Já estão reunidos, aguardando publicação junto à primeira tradução para o inglês de *Minha formação*, como homenagem a Nabuco na Universidade de Yale. Os textos originais foram colecionados na ocasião do centenário das conferencias em Yale em 2008, com a grata colaboração da Sra. Sílvia Nabuco.

2 Luís de Camões (1524?–1580), considerado o maior poeta da língua portuguesa, com uma obra lírica, de raiz clássica e petrarquiana, e o poema épico *Os Lusíadas*, em dez cantos. Camões passou 17 anos na Ásia portuguesa, de 1553 a 1570. Muitos leitores no século XIX, inclusive Nabuco, interpretam as suas obras desde uma perspectiva romântica e heroica, fundada no exílio e sofrimentos do poeta, separado do objeto da sua paixão.

3 Elihu Root (1845–1937), advogado americano, secretário de Estado de 1905–1909 na presidência de Theodore Roosevelt, recebeu o prêmio Nobel da paz em 1912. Primeiro secretário de Estado a visitar o Brasil, para o Terceiro Congresso Pan-americano de 1906.

4 Theodore Roosevelt (1858–1919), 26.º presidente dos Estados Unidos (1901–1909), historiador, naturalista, caçador, autor, soldado, e o mais jovem dos presidentes quando assumiu depois da morte de McKinley. T.R., como era chamado, teve papeis importantes na guerra hispano-americana de 1998, a resolução da guerra russo-japonesa de 1906, que

lhe deu o prêmio Nobel da Paz nesse ano, e a etapa final do canal de Panamá. Esteve no Brasil com Rondon em 1913-1914, descendo o rio da Dúvida por 1.600 km, mais tarde chamado rio Roosevelt. Contraiu a malária que apressou a sua morte cinco anos mais tarde.

5 Alfred Russel Wallace (1823-1913), celebrado naturalista e autor de *Travels on the Amazon and Rio Negro* (1899).

6 Louis Agassiz (1807-1873), palentologista, geólogo suíço, professor em Harvard. Esteve no Brasil de 1865-66 e publicou *A Journey in Brazil* (1868).

7 Elisée Reclus (18300-1905), autora de *Estados Unidos do Brasil: geographia, ethnographia, estatística*. Tradução e breves notas de B.-F. Ramiz Galvão, e anotações sobre o território contestado pelo barão do Rio Branco, Rio de Janeiro, H. Garnier, 1900.

8 Orville Derby (1851-1915), convidado em 1870 pelo professor Charles Frederick Hartt para acompanhá-lo na expedição Morgan ao Brasil. Organizou a primeira Comissão Geológica do Império do Brasil. Ficou no Brasil, no Museu Nacional do Rio de Janeiro.

9 Charles Frederick Hartt (1840-1878), assistente de Louis Agassiz em Harvard, acompanhando-o na expedição Thayer ao Brasil. Participou de quatro expedições, colecionando mais de 500.000 espécies, que doou ao Museu Nacional. Abandonado pela esposa e filhos, faleceu no Brasil de febre amarela aos 38 anos.

10 John Casper Branner (1850-1922), professor de botânica e geologia na Universidade de Indiana, foi presidente da Universidade de Stanford de 1913-1915. Trabalhou no Brasil como assistente de Hartt, seu mestre na Universidade de Cornell.

11 Stephen Grover Cleveland (1837-1908), 22º e 24º presidente dos Estados Unidos, o único a servir dois mandatos não consecutivos, de 1885-89 e 1893-97.

12 Alexis de Tocqueville (1805-1859), *De la démocratie en Amerique*, 2 vols., Paris, C. Gosselin, 1835, 1840, com o celebrado retrato das virtudes e dos defeitos da democracia norte-americana.

13 Charles Richard Van Hise (1857–1918), geólogo, professor de química, metalurgia e mineralogia, presidente da Universidade de Wisconsin, Madison, de 1903–1918.

14 Marechal Cândido Rondon (1865–1958), militar e explorador de Mato Grosso, de mãe bororo e pai português, foi o primeiro diretor do Serviço de Proteção aos Índios, hoje FUNAI, e responsável em 1952 pela criação do Parque do Xingu. O estado de Rondônia presta homenagem ao seu nome e legado. Descobriu o "rio da Dúvida," explorado com Roosevelt em 1914, mais tarde "rio Roosevelt". Roosevelt louvou Rondon como cavaleiro e herói, depois da expedição.

15 Thomas Nelson Page (1853–1922), advogado e escritor, embaixador na Itália durante o governo Wilson. Publicou obra escrita em 18 volumes. A sua coleção de contos, *Ole Virginia* (1887), idealiza a vida de plantação no velho Sul antes da guerra civil. A sua obra antecipa nesse sentido o retrato de Nabuco em *Minha formação* (1900).

16 Essa visão conservadora seria repetida três décadas depois por Gilberto Freyre em *Casa Grande e Senzala* (1933), porém criticada e rejeitada pelas perspectivas de hoje.

17 Na sua biografia de Lincoln em 3 volumes, Sandburg comenta as contribuições de Nabuco: "On the 100th birthday anniversary of Lincoln, Brazilian Ambassador Joaquim Nabuco said: "With the increased velocity of modern changes, we do not know what the world will be a hundred years hence. For sure, the ideals of the generation of the year 2000 will not be the same of the generation of the year 1900. Nations will then be governed by currents of political thought which we can no more anticipate than the seventeenth century could anticipate the political currents of the eighteenth, which still in part sway us. But whether the spirit of authority, or that of freedom, increases, Lincoln's legend will ever appear more luminous in the amalgamation of centuries, because he supremely incarnated both those spirits." (Vol. 1, pp. 19–20); e no terceiro volume, outra citação: "Lincoln had stood as the national Fate, amid violence that was the shortest cut to a common Union of destiny for the states. Thus the Brazilian Minister Joaquim Nabuco, who said, "I construe to myself that War as one of those illusions of life, in which men seem to move of their own free will, while they are really playing a tragedy composed by a Providence intent on saving their nation."

Lincoln, as the leading player in the drama, "saw distinctly that the South was not a nationality, and that it could not think of being one, except during the hallucination of the crisis." In the velocities of modern change, the year 2000 would be governed by currents of political thought impossible to read. "But whether the spirit of authority, or that of freedom, increases, Lincoln's legend will ever appear more luminous in the amalgamation of centuries, because he supremely incarnated both those spirits." (vol. 3, p. 883). Pela repetição, vê-se que Sandburg ficou com a citação de Nabuco na memória, e que, por tanto estimá-la, a colocou na conclusão do 3.º volume de uma forma levemente diferente, provavelmente sem dar-se conta, ou por ênfase.

18 Augustus Saint-Gaudens (1848–1907), nascido na Irlanda, foi escultor americano do estilo *beaux-arts*. Depois de estudos na Europa, dedicou-se a monumentos dos heróis da guerra civil americana; lecionava na Arts Students League de Nova York e foi chamado por Roosevelt para desenhar moedas e medalhas. A peça em ouro chamada "double eagle" ainda é considerada a mais bela moeda americana. Retirou-se a Cornish, New Hampshire em 1900, onde formou-se uma colônia de artistas.

19 Durante degli Alighieri (1265–1321), conhecido como Dante, autor da *Commedia*, uma das maiores obras da literatura mundial; John Milton (1608–1674), poeta inglês e autor do poema épico *Paradise Lost* (1667).

20 Wilhelm Storck (1829–1905), autor de *Vida e Obra de Luís de Camões*, Lisboa, Academia das Ciências, 1897; o Visconde de Juromenha (1807-1887), editor das *Obras de Camões*, Lisboa, Imprensa Nacional, 1860–69; e Teófilo Braga (1843–1924), editor de *Os Lusíadas*, autor de estudos camonianos e presidente da República Portuguesa (1910–11; 1915).

21 Sir Richard Francis Burton (1821–1890), arabista, tradutor das *Mil e uma noites*, obra clássica da literatura persa. Sempre viajou acompanhado pela obra de Camões, que traduziu para o inglês, seja no Brasil, seja no Cairo.

22 Os sonetos estão numerados segundo a ordem de publicação, a partir das *Rhythmas* de 1595 e subsequentes edições.

23 C.P. Snow (1905–1980), físico e escritor inglês, conhecido por uma série de romances sob o título *Strangers and Brothers* e pela conferência de 1959

"The Two Cultures", na qual apresenta a ideia de que o maior obstáculo contra o progresso é a divisão, e falta de compreensão, entre as ciências e as letras. Nabuco antecipa a problemática levantada no livro, *The Two Cultures and the Scientific Revolution*, segundo o qual o atraso em resolver os problemas do mundo se deve ao pouco que o cientista e o literato entendem cada um do campo do outro.

24 O confronto entre a realidade americana, vista no contexto do drama da humanidade, na sua literatura, história e filosofia, caracteriza a obra de Machado de Assis, com quem Nabuco mantém uma correspondência ativa nessa época.

BIBLIOGRAFIA

1. *Conferências do Embaixador Joaquim Nabuco Nos Estados Unidos*

Lincoln's World Influence. Remarks of the Brazilian Ambassador Mr. Joaquim Nabuco at the fourteenth annual banquet of the Lincoln Republican Club and of the Young Men's Republican Club of Grand Rapids, February 12, 1906: [Washington, D.C., 1906] 4 p.

The American Conscience and American Public Opinion (The Pan-American Conferences and their Significance). Proceedings of the Special Session of the American Academy of Political and Social Science held in honor of His Excellency, the Mexican Ambassador, Don Joaquín D. Casasus. February 24, 1906. Supplement to the *Annals of the American Academy of Political and Social Science*, May 1906, p. 14.

Scientific Possibilities in Brazil. Remarks made at the Third Annual Dinner of the Washington University Club, February 16, 1907 [Washington, D.C., 1907], 6 p.

Lessons and Prophecies of the Third Pan-American Conference. [Washington, D.C., 1907] 8p. *Address* delivered by Mr. Joaquim Nabuco, Ambassador from Brazil, before the Liberal Club of Buffalo, February 20, 1907:

Toast to President Roosevelt. Dinner at the Brazilian Embassy at Washington, on the 18th of May, 1907, in honor of Rear Admiral Huet de Bacellar and the Captains of the Brazilian Ships on a visit to the Jamestown exposition. 11 p.

Address of the Brazilian ambassador Senhor Nabuco, at the laying of the new building of American republics, on May 11, 1908 [Washington, D.C. 1908], 3p.

The Place of Camoens in Literature. Address delivered before the students of Yale University, on the 14th May, 1908: [Washington, D.C. 1908], 26 p.

The Spirit of Nationality in the History of Brazil. Address delivered before the Hispanic Club of Yale University, on the 15th. May, 1908: [Washington, D.C., 1908], 14 p.

The Approach of the Two Americas, Convocation address before the University of Chicago, August 28, 1908, by Joaquim Nabuco. New York City, American Branch of the Association for International Conciliation, 1908. (International Conciliation, nº 10), 13 pp. Traduzido ao francês e português: *L' Accord des Deux Amériques*, Paris, Publication de la Conciliation Internationale, nº 1 (janvier 1910). Introduction de M. d'Estournelles de Constant; *Revista Americana*, III, nº 2, maio 1910, p. 173.

Saint-Gaudens. Speech delivered at the memorial Meeting of the American Institute of Architects at the Corcovan Gallery of Art [Washington, D.C.], December 15, 1908. 2p.

The Restoration of the National Government in Cuba. Speech at the Dinner offered to the Vice-President of the Republic and the members of the Cuban Cabinet at Havana, on January 31, 1909.

Lincoln's Centenary; Speech of the Brazilian Ambassador, Joaquim Nabuco, at the celebration in Washington of Lincoln's centenary organized by the Commissioners of the District of Columbia, February 12, 1909. [Washington, D.C., 1909] 4 p. Cf. "Centenário de Lincoln," *Revista Americana*, II, nº 2, fev. 1910, p. 165–168.

Mr. Root and Peace. Speech at the Dinner given by Peace Society of New-York in honor of Mr. Root. February 26, 1909 [New York, 1909] 2 pp.

Camoens, the Lyric Poet. Address at Vassar College. April 21st., 1909 [Washington, D. C., 1909], 29 p.

The Lusiadas as the Epic of Love. Address at Cornell University on April 23, 1909 [Washington, D.C., 1909], 23 p.

Toasts Delivered at the Dinner in honor of Gridiron Club and Mr. J. C. Rodrigues, editor of the *Jornal do Comércio* of Rio de Janeiro, May 6th., 1909. [Washington, D.C. Herald, May 7, 1909]

The Share of America in Civilization, baccalaureate address, University of Wisconsin, *American National Review*, XV, nº 1, Oct. 1909 [New York, 1909], 18 p.

2. *Bibliografia Geral*

ALONSO, Ângela. *Joaquim Nabuco: os salões e as ruas*. São Paulo: Companhia das Letras, 2007.

ARANHA, Graça. *Machado de Assis e Joaquim Nabuco, comentários e notas à correspondência entre estes dois escritores*. 2ª ed. Rio de Janeiro: F. Briguiet, 1942.

ASSIS, Machado de. Obra *completa*, vol. III. Rio de Janeiro: Nova Aguilar, 1979.

CANDIDO, Antonio. *Literatura e sociedade*. 7ª ed. São Paulo: Editora Nacional, 1985.

JACKSON, Kenneth David. "Um estadista na academia: Joaquim Nabuco na Universidade de Yale." *Estudos Avançados* 22.62 ‹São Paulo› (janeiro/abril 2008): 335–349.

_____. "Uma vida que se narra." *Novos Estudos* CEBRAP (nov. 2008), p. 201–205.

LIMA, Alceu Amoroso, "Pró-memória: introdução a *Minha formação*", *in* Joaquim Nabuco, *Minha formação*, Rio de Janeiro, Tecnoprint, 1965.

LIMA, Luiz Costa. "Nabuco: Trauma e Crítica." *Intervenções*. São Paulo: Edusp, 2002: 341–357.

MORICONI, Ítalo. "Rui Barbosa pós-moderno? (Elogio a um elogio)." *Cronopios*, site, 19/03/2007.

_____. "Um estadista sensitivo. A noção de formação e o papel do literário em *Minha formação*". *Revista Brasileira de Ciências Sociais* 16 (2001): 161–172.

NABUCO, Carolina. *A vida de Joaquim Nabuco, por sua filha Carolina Nabuco*. São Paulo: Companhia Editora Nacional, 1928; *The Life of Joaquim Nabuco by Carolina Nabuco*. Ronald Hilton, trans. and ed. Stanford: Stanford U P, 1950.

NABUCO, Joaquim. *Camões e assuntos americanos, seis conferências em universidades americanas*. Traduzidas do inglês por Carolina Nabuco (Edição Uniforme das Obras de Joaquim Nabuco). São Paulo; Rio de Janeiro: Companhia Editora Nacional; Civilização Brasileira, 1940.

_____. *Cartas a Amigos*. Coligidas e anotadas por Carolina Nabuco. Vol. II. São Paulo: Instituto Progresso Editorial S.A., 1949.

_____. *Discursos e conferências nos Estados Unidos*. Tradução do inglês de Artur Bomílcar. Rio de Janeiro: B. Aguila, 1911.

_____. *Escriptos e Discursos Literarios*. Rio de Janeiro; São Paulo: Civilização Brasileira; Companhia Editora Nacional, 1939.

_____. *Diários, 1873–1910*. Evaldo Cabral de Mello, ed., pref. e notas. Rio de Janeiro: Bem-Te-Vi, 2006.

_____. *Minha formação*. Rio de Janeiro: H. Garnier, 1900; Rio de Janeiro: Topbooks, 1999.

ROOSEVELT, Theodore. *Through the Brazilian Wilderness*. New York: Charles Scribner's Sons, 1914.

SANDBURG, Carl. *Abraham Lincoln: The Prairie Years and The War Years*. 3 vols. New York: Dell, 1954.

SANTIAGO, Silviano. "Atração do mundo: políticas de identidade e de globalização na moderna cultura brasileira". *Gragoatá* ‹Niterói› Programa de Pós-Graduação em Letras da UFF/EdUFF, 2º semestre (1996): 31–54; "Worldy Appeal: Local and Global Politics in the Shaping of Brazilian Culture." *The Space In-Between: Essays on Latin American Culture*. Durham: Duke, 2001: 147–173.

TOCQUEVILLE, Alexis de. *De la démocratie en Amérique*. 2 vols. Paris: Charles Gosselin, 1835; 1840.

Yale Alumni Weekly, XVII.35 (20 de maio de 1908): p. 834.

Yale Alumni Weekly, XVII.40 (8 de julho de 1908).

Yale Daily News (Terça-feira, 5 de maio de 1908).

1 : *Nabuco e as duas Américas*

JOAQUIM NABUCO E A ABOLIÇÃO DA ESCRAVIDÃO NO BRASIL

Leslie Bethell

Em meados do século xix, cerca de 6 milhões de africanos e afro-americanos eram mantidos em escravidão nas três sociedades escravocratas remanescentes nas Américas, mais do que o dobro existente na época da primeira emancipação de escravos no Haiti durante a Revolução Francesa. Havia nos Estados Unidos mais de 3 milhões de escravos (comparado com meio milhão na época da Independência em 1776 e menos de um milhão em 1800), de dois a dois milhões e meio no Brasil (contra menos de um milhão em 1800, e entre um milhão e um milhão e meio na época da Independência em 1822) e cerca de 300 a 400 mil na colônia espanhola de Cuba (comparado com menos de 200 mil em 1800). A escravidão foi abolida no seu auge nos Estados Unidos, durante e imediatamente após a Guerra Civil Americana (1861–65).[1] Entretanto, só foi abolida em Cuba em 1880–86[2] e no Brasil em 1888, em ambos os casos depois de um declínio prolongado. Neste ensaio, analiso a escravidão no Brasil depois de 1850 e o papel desempenhado por Joaquim Nabuco na abolição final.

A população de escravos no Brasil havia crescido progressivamente ao longo da primeira metade do século xix, em grande medida como resultado da maciça injeção anual de novos cativos provenientes da África por meio do tráfico negreiro. Um milhão de africanos foram importados entre 1800 e 1850, a metade (todos estes ilegalmente) durante os anos 1830 e 1840. A supressão do comércio transatlântico de escravos pelo governo brasileiro em 1850–51, sob forte pressão britânica[3], desferiu um golpe decisivo contra a escravidão no país. Ao contrário dos Estados Unidos, onde o número de escravos aumentou de três a quatro vezes entre o fim do tráfico em 1808 e a Guerra Civil, no Brasil, a população total de cativos entrou em declínio imediatamente após a abolição do tráfico: as taxas de natalidade eram baixas (devido em parte à predominância masculina na população de escravos, que por sua vez refletia a dependência anterior do sistema escravocrata em relação ao fornecimento externo de escravos, predominantemente homens); as taxas de mortalidade eram altas (parcialmente em função dos maus tratos, porém relacionadas mais fundamentalmente às más condições gerais de saúde e nutrição no Brasil), assim como eram relativamente altas as taxas de alforria (e de fuga). Entretanto, em 1866-67, quando Agostinho Marques Perdigão Malheiro publicou seu estudo monumental *A Escravidão no Brasil: ensaio histórico, jurídico e social*, de acordo com os cálculos do autor, ainda havia 1,7 milhão de escravos no país. O primeiro censo nacional brasileiro, em 1872, dava conta de uma população de 1,5 milhão de escravos.

Até 1870, no entanto, os escravos constituíam apenas 15 a 20 % da população nacional (comparado com 25 a 35 % em 1850). Além disso, desde 1850 houve um deslocamento significativo dos escravos no Brasil: do Norte e Nordeste para o Centro-Sul, onde três províncias – Rio de Janeiro, Minas Gerais e São Paulo – passaram a representar 70 % da população nacional de escravos; e, dentro do Centro-Sul, das cidades para o campo (por exemplo, na cidade do Rio de Janeiro, em meados do século os escravos representavam 40 a 50 % da população, mas até 1870 já haviam quase desaparecido), da agricultura de subsistência e de produtos não exportados para a agricultura de *plantation*, principalmente a cafeicultura, e das áreas de café em declínio no Vale do Paraíba para as áreas de expansão desse cultivo no interior da província de São Paulo, onde inclusive já havia mais escravos do que vinte anos antes. Nos Estados Unidos antes da Guerra Civil, a escravidão tornara-se uma instituição basicamente do Sul, mas, no Brasil, ao contrário, mantinha uma abrangência nacional.

Em 1870, a escravidão no Brasil não estava fadada inevitavelmente a definhar, pelo menos no curto ou médio prazo. Não havia sinais de esmorecimento do compromisso dos donos de escravos em relação à instituição. Os proprietários não estavam optando conscientemente pela mão de obra livre nem por preferência, nem ainda por necessidade, apesar do aumento do custo da mão de obra escrava e do início dos problemas com a oferta de cativos. Não havia uma tentativa de mobilização significativa de mão de obra livre (ou liberta) a partir da lavoura de subsistência e de produtos não exportados, que já representava mais de 80 % da mão de obra rural no país como um todo (comparado com menos de 50 % em 1822). Nem havia ainda qualquer tentativa significativa de atrair imigrantes europeus para o Brasil. E os senhores de escravos e seus representantes no Parlamento não tiveram dificuldade em justificar a escravidão. As racionalizações ideológicas, principalmente aquelas fundadas no racismo, talvez fossem mais fracas no Brasil do que no Sul dos Estados Unidos, por exemplo. Mas os imperativos econômicos eram igualmente fortes. Como organizar um mercado com mão de obra livre, com uma fronteira agrícola aberta e livre, com terras desocupadas ou então ocupadas apenas nominalmente, principalmente nas regiões cafeicultoras, que representavam 60 a 70 % das exportações brasileiras? Além disso, tendo acesso a terra, com bastante mobilidade territorial e, portanto, com estratégias alternativas para sobreviver, que motivos teriam os pequenos produtores, os agregados e os posseiros de diversos tipos, ou os trabalhadores rurais e os camponeses, para venderem sua própria mão de obra e se submeterem à dura disciplina da agricultura das grandes propriedades, historicamente servidas pela mão de obra escrava (e identificadas com ela)? Embora houvesse poucas (porém preciosas) vozes que denunciavam a escravidão com base na injustiça e na suposta ineficiência econômica, não havia uma opinião generalizada em favor da abolição no Brasil.

Foi d. Pedro II que, pela primeira vez, inscreveu o futuro da escravidão na agenda política do país. Ele chegara à conclusão de que a escravidão no Brasil já não podia ser justificada, e que seu declínio desde 1850 era irreversível e devia ser acelerado, embora de maneira controlada, para minimizar o transtorno econômico e social. Em abril de 1865, o mês em que terminou a Guerra Civil americana, o imperador convidou o eminente jurista e senador Pimenta Bueno, o futuro visconde de São Vicente, para redigir legislação que não apenas melhorasse as condições dos escravos, mas que também avançasse em direção à abolição gradual. O mais importante dos cinco projetos de lei que submeteu em janeiro de 1866 propunha que, a partir de então, os filhos nascidos de mães escravas fossem livres. O projeto recebeu pouco apoio do gabinete conservador liderado pelo marquês de Olinda. O principal motivo (ou desculpa) alegado pela inação era o envolvimento do Brasil, desde fins de 1864, na Tríplice Aliança (com Argentina e Uruguai) contra a ditadura de Solano López no Paraguai. Entretanto, em agosto, o novo governo liberal-progressista de Zacarias de Góis e Vasconcelos provocou uma comoção política ao declarar, em resposta a um apelo do Comité Français d'Emancipation, e com pleno conhecimento do imperador, que "a emancipação dos escravos, consequência necessária da abolição do comércio de escravos, é, portanto, apenas uma questão de forma e oportunidade". A declaração foi repetida pelo Imperador na *Fala do Throno*, em maio de 1867, quando os projetos de lei de Pimenta Bueno foram finalmente submetidos à consideração do Conselho de Estado. Em julho, no entanto, d. Pedro, ansioso em relação ao andamento da guerra contra o Paraguai, destituiu Zacarias e convocou o conservador visconde de Itaboraí para formar novo governo. Itaboraí era totalmente contrário à abolição. Durante os dois anos seguintes, não haveria mais discussão sobre a questão dos escravos.

José Thomaz Nabuco de Araújo (senador e membro do Conselho de Estado) era um dos poucos políticos brasileiros de destaque

que se opunham à escravidão naquela época. Enquanto ministro da Justiça (1853–57), fora responsável pelas derradeiras e desesperadas tentativas de importar escravos para os Brasil, depois que o governo acabou efetivamente com o tráfico em 1850–51. Em 1867, concordara em presidir um comitê do Conselho de Estado, encarregado de consolidar os diversos projetos de Pimenta Bueno em um projeto único, cuja principal característica seria a libertação dos filhos nascidos de mães escravas. Denunciou, portanto, a nomeação do visconde de Itaboraí (que considerava um golpe de Estado), ajudou a fundar o jornal radical *A Reforma*, que adotou posição contra a escravidão, e, em 1869, junto com outros liberais de tendência reformista, fundou o Centro Liberal, a primeira agremiação política no Brasil que incluiu a emancipação dos escravos em seu programa. Em carta ao pai em 1870, Joaquim Nabuco, então acadêmico da Faculdade de Direito em Recife, admitiu que seu maior sonho era vê-lo presidente do Conselho de Ministros por apenas dois dias, para que pudesse extinguir a escravidão por decreto, tornando-se, assim, o "Lincoln brasileiro".[4]

Em março de 1871, o imperador convidou José Maria da Silva Paranhos, o visconde do Rio Branco, para formar um governo conservador disposto a submeter um projeto ao Parlamento para libertar os filhos nascidos de mães escravas. Após uma longa série de debates amargos, finalmente o projeto foi aprovado, por 65 votos contra 45 na Câmara dos Deputados e 33 contra sete no Senado (onde foi apoiado fortemente por Nabuco de Araújo), sendo homologado em 28 de setembro de 1871. Ao interromper a oferta interna de escravos (vinte anos depois que a supressão do comércio transatlântico cortara a oferta externa), a Lei do Ventre Livre condenou a escravidão à extinção *eventual*. As horas da escravidão no Brasil estavam contadas. No entanto, nenhum escravo havia sido emancipado. Como muitos fazendeiros haviam previsto, a lei não impunha nenhuma ameaça *imediata* contra a posse existente de escravos. Além disso, os filhos de escravas (os chamados *ingênuos*), embora nominalmente livres, permaneceriam com seus donos até atingir oito anos de idade (quando seriam libertados, mediante indenização dos proprietários) ou então continuariam em regime de semi-escravidão até 21 anos de idade. A lei de 1871 determinava a criação de um registro nacional de escravos e de um modesto Fundo de Emancipação para estimular a manumissão dos escravos pelos donos e a compra da alforria pelos próprios escravos. Nos dez anos seguintes a 1871, entretanto, muito mais escravos morreram do que foram libertados pela nova lei. Além disso, como pretenderam muitos daqueles que votaram final e relutantemente pela aprovação, durante quase mais uma década, a Lei de 1871 acabou com qualquer debate sobre a escravidão no Parlamento.

Durante os anos 1870, a população de escravos no Brasil continuava em declínio progressivo (embora ainda com lentidão relativa: em 1879 ainda havia 1,25 milhão de escravos no Brasil). E acentuou-se mais a concentração regional (e setorial) da escravidão. Até o final da década, os escravos constituíam menos de 10 % da população em mais da metade das províncias brasileiras, e menos de 5 % em mais de um quarto (principalmente no Norte, Sul e Oeste). O Nordeste, por exemplo, que detivera dois terços da população de escravos em 1822, até o final da década de 1870 tinha menos escravos do que Minas Gerais. Em Pernambuco e Bahia, onde a economia açucareira sofria declínio, vários usineiros ainda mantinham centenas, e em alguns casos milhares, de escravos. No entanto, houvera pouco investimento recente em escravos; a população escrava existente, impedida de se renovar, estava envelhecendo rapidamente; e havia uma oferta adequada de mão de obra "livre" como alternativa. Embora não promovesse ativamente o colapso final da escravidão, a maioria da classe dominante no Nordeste já não considerava a sobrevivência do sistema escravocrata uma questão de vida ou morte. Por outro lado, no Centro-Sul, especialmente nas regiões mais antigas de cafeicultura, em declínio, a classe dominante se apegava desesperadamente à escravidão. Muitos proprietários de terra haviam feito investimentos recentes e pesados em escravos (por meio da compra a preços elevados e da manutenção); seus escravos eram mais jovens do que no Nordeste, e potencialmente mais móveis (ou seja, diante de uma oportunidade, poderiam ser deslocados para novas áreas de cafeicultura em São Paulo); e não havia nenhuma alternativa adequada ou prontamente disponível na forma de mão de obra livre. A sociedade das grandes fazendas, junto com sua tradição cultural, também estava menos firmemente enraizada do que no Nordeste e, portanto, corria mais risco de colapso diante de uma eventual emancipação. Os escravocratas mais intransigentes encontravam-se nessa região, principalmente na província do Rio de Janeiro.

Na nova fronteira cafeicultora em expansão no norte e oeste da província de São Paulo, o problema era mais complexo. Os fazendeiros nessa fronteira, que produziam café para um mercado mundial robusto, se encontravam numa situação sem precedentes: pela primeira vez na história do Brasil, a escravidão já não conseguia suprir a demanda de mão de obra do setor mais dinâmico da economia. O sistema escravocrata estava em declínio evidente, fadado a chegar ao fim. Os escravos eram cada vez mais difíceis de se obter, mais caros para comprar e manter, e representavam um mau investimento no longo prazo. Assim, os fazendeiros ditos "progressivos", isto é, os mais capitalistas no que se referia a terra, crédito e investimento em maquinaria e transporte, de maneira nenhuma eram tão comprometidos com a mão de obra escrava quanto os fazendeiros do Vale do Paraíba. Entretanto, seria um equívoco imaginar que fossem necessariamente adversários da escravidão. Os brasileiros livres ainda não eram considerados aptos – e nem estavam aparentemente dispostos – a se submeterem ao trabalho disciplinado nos cafezais. A maioria dos fazendeiros paulistas, pelo menos no curto prazo, e até que uma alternativa pudesse ser encontrada, ainda preferia a escravidão como sistema de trabalho. E havia relativamente pouco debate público sério sobre o processo inexorável de transição de um sistema baseado predominantemente na mão de obra escrava para um sistema livre, bem como sobre a questão mais ampla, e de longo prazo, de como acabar com a escravidão e ao mesmo tempo assegurar uma fonte de mão de obra livre para a agricultura nas grandes propriedades.

Há uma passagem famosa nas memórias de Joaquim Nabuco, *Minha formação* (1900), na qual descreve uma visita feita em 1869 ao engenho Massangana em Pernambuco, onde nasceu em 1849 e passou os primeiros oito anos da infância. Atrás da capelinha de São Mateus, Nabuco entrou num pequeno cercado que servia de cemitério para os escravos. Entre as cruzes que marcavam os túmulos, o jovem refletiu sobre o passado e recorda o nome de muitos dos escravos que conhecera. "Foi assim", ele escreveu, "que o problema moral da escravidão se desenhou pela primeira vez aos meus olhos em sua nitidez perfeita e com a solução obrigatória (...) Então, ali mesmo, aos vinte anos, formei a resolução de votar a minha vida, se assim me fosse dado, ao serviço da raça generosa entre todas".[5] A motivação maior de sua luta contra a escravidão era, segundo ele, a "querida e abençoada memória" da infância e o sofrimento dos "santos pretos" que havia testemunhado. Ou seja, tinha um compromisso pessoal, emocional, até sentimental, e essencialmente moral de acabar com a escravidão. Não por coincidência, afirmava ter lido *A cabana de Pai Tomás* mais de mil vezes.

Entretanto, *Minha formação* foi escrita quase trinta anos depois da visita a Massangana. No tempo de estudante, numa redação longa em 1870 [6] sobre "A escravidão", ou melhor, nos dois primeiros capítulos de um texto, "O crime" e "A história do crime" (o terceiro capítulo, "A reparação do crime", nunca foi concluído), e nos seus escritos posteriores, como *O Abolicionismo*, escrito e publicado em Londres em 1883, a escravidão era contestada com outros argumentos: era um crime, um ultraje contra a civilização, responsável pelo atraso do Brasil, um obstáculo contra o progresso econômico e político e contra a construção da nação. E embora não haja dúvida de que Nabuco fosse totalmente contra a escravidão ao longo de toda a vida – influenciado pelo pai, entre outros – não existe evidência, seja nas extensas correspondências ou nos diários, de que tenha tomado a decisão de dedicar a vida à abolição da escravidão antes de 1879, o ano em que entrou no Parlamento pela primeira vez e assumiu a liderança dos (poucos) deputados que na época pretendiam abolir a escravidão no Brasil.

Nos anos que seguiram à formatura na Faculdade de Direito de Recife em novembro de 1870, a escravidão não era a preocupação central de Nabuco, embora tenha acompanhado de perto a luta do pai pela aprovação da Lei do Ventre Livre, chegando a ajudá-lo, como relata em *Minha formação*, a traduzir documentos publicados no *Anti-Slavery Reporter*, o jornal da British and Foreign Anti-Slavery Society, sediada em Londres. Nabuco aparentava indecisão sobre o caminho a seguir na vida. Chegou a trabalhar no escritório de advocacia do pai, mas logo abandonou a carreira jurídica. Provou o jornalismo e a literatura, escrevendo para *A Reforma*, onde defendeu a causa liberal, porém demonstrou mais interesse na separação entre Igreja e Estado do que na abolição da escravidão. Em 1872, herdou Massangana, vendeu a propriedade e decidiu aproveitar o dinheiro para viajar. Partiu do Brasil em agosto de 1873 e permaneceu na Europa até setembro do ano seguinte, principalmente na Itália e França, mas também durante um mês (junho de 1874) em Londres, onde aparentemente não teve contato com a British Anti-Slavery Society. Quando retornou ao Brasil, Nabuco continuou por caminhos incertos até abril de 1876, quando entrou na carreira diplomática pela primeira vez. Foi nomeado adido da legação brasileira em Washington, aonde chegou em 1º de janeiro de 1877, mas depois de apenas nove meses foi transferido para um posto semelhante na legação brasileira em Londres, onde mais uma vez não parece ter feito nenhum esforço no sentido de travar contato com os abolicionistas britânicos. Também ficou pouco tempo nesse novo posto diplomático. Em abril de 1878, retornou ao Brasil depois de receber a notícia da morte do pai, e ficou então para disputar um lugar no Parlamento.

Antes da morte, o senador Nabuco de Araújo – com o apoio do barão de Vila Bela, líder liberal na província – havia preparado o terreno para a eleição do filho ao Parlamento, como deputado por Pernambuco. O respeito pelos anseios do pai, além da volta dos liberais ao poder em janeiro de 1878 (depois de dez anos de maioria conservadora), convenceram Nabuco a abandonar sua curta carreira como diplomata e entrar na política. Em setembro, com 29 anos, Nabuco não teve maiores dificuldades em se eleger à XVII Legislatura do Império, e tomou posse como deputado em janeiro de 1879. A recém-eleita Câmara tinha maioria avassaladora dos liberais, porém o governo liberal liderado pelo visconde de Sinimbu apoiava a escravidão incondicionalmente. O primeiro discurso de Nabuco foi sobre a questão da liberdade religiosa, não sobre a emancipação dos escravos. Coube ao dr. Jerônimo Sodré Pereira, deputado liberal da Bahia – além de médico, católico ultramontano e dono de escravos, mas ao mesmo tempo abolicionista – proferir um discurso em 5 de março que colocou a abolição da escravidão na agenda política pela primeira vez desde 1871. Entretanto, Nabuco logo adotou a questão como sua. A partir de 1879 até que a escravidão fosse finalmente abolida em maio de 1888, Nabuco esteve inteiramente dedicado à causa, tanto dentro quanto fora do Parlamento.

A iniciativa que trouxe renome nacional e internacional para Nabuco pela primeira vez como campeão dos escravos no Brasil foi um discurso no Parlamento em 30 de setembro de 1879, denunciando a St John d'El Rey Mining Company, empresa de propriedade britânica. Além de seus próprios escravos, a empresa mantinha mais de mil cativos na mina de ouro de Morro Velho, que havia adquirido ("alugado") das empresas de mineração de Cata Branca e Cocais, quando faliram em meados dos anos 1840, com uma cláusula contratual de que os escravos seriam libertados depois de 14 anos de serviço. No entanto, passaram-se vinte anos sem que fossem tomadas quaisquer providências para assegurar sua libertação.[7] O discurso de Nabuco teve diversas repercussões na Europa (provocou comentários favoráveis na *Revue des deux mondes* na França, por exemplo), porém mais especificamente na Grã-Bretanha. O Secretário da British and Foreign Anti-Slavery Society, Charles Harris Allen, escreveu para Nabuco a fim de felicitá-lo pela defesa dos escravos de Morro Velho. Na sua resposta, Nabuco escreveu, "garanto-lhe que V.Sa. sempre me encontrará neste posto de luta que hoje ocupo. Ponho meu interesse pela emancipação acima de qualquer outro [...] Comparada a essa imensa reforma social [...] qualquer outra reforma política fica em segundo plano". Também informou a Allen que planejava submeter à Câmara um projeto de lei que previa a abolição total da escravidão no Brasil em 1º de janeiro de 1890. Não esperava que fosse aprovado, em vista da força da opinião escravista, tanto no Partido Liberal quanto no Conservador. Mas pretendia submetê-lo a cada sessão plenária até que fosse aprovado, como resultado da disseminação da convicção moral e da pressão crescente da opinião abolicionista. Nabuco previu: "A fronteira da próxima década não será transposta no Brasil, espero eu, por um só homem que chame a si mesmo de escravo".[8]

Na realidade, o projeto apresentado ao Parlamento por Nabuco em agosto de 1880 era moderado, na medida em que previa não apenas um período de dez anos antes da emancipação total dos escravos, como também oferecia indenização aos donos, como a Grã-Bretanha havia feito meio século antes em suas colônias, fato lembrado por Nabuco. Mesmo assim, o projeto não avançou no Parlamento. Inicialmente, 38 deputados assinaram um requerimento que pedia urgência na votação sobre a realização de um debate sobre o projeto; no entanto, depois que o sucessor de Sinimbu como presidente liberal do Conselho de Ministros, o senador José Antônio Saraiva, transformou o projeto em questão de confiança do seu governo, apenas 18 deputados (14 deles do Norte, inclusive sete de Pernambuco) de fato votaram em favor do debate, e o projeto foi retirado silenciosamente. Entretanto, Nabuco insistia em que a abolição era uma questão exclusiva do Parlamento. "A emancipação", escreveu a Allen, "não pode ser feita por meio de uma revolução, pois isso seria destruir tudo. Ela só pode ser realizada por maioria parlamentar".[9]

Em 7 de setembro de 1880 (dia da Independência do Brasil), Nabuco e um grupo de colegas abolicionistas se reuniram na casa dele no Rio de Janeiro para fundar a Sociedade Brasileira Contra a Escravidão. O próprio Nabuco foi eleito presidente, tendo André Rebouças como tesoureiro. Nabuco imediatamente encontrou uma oportunidade para colocar a Sociedade no mapa político e reacender o debate sobre a escravidão no Parlamento, na imprensa – e nas ruas. Em 19 de outubro de 1880, escreveu uma carta aberta a Henry Washington Hilliard, representante do governo americano no Brasil, solicitando sua opinião sobre a escravidão, a emancipação e o trabalho livre no Sul dos Estados Unidos. Nabuco sabia que Hilliard era um sulista moderado e pró-*Union* que havia defendido a escravidão enquanto instituição jurídica, mas que já estava pronto para aproveitar uma oportunidade de se redimir, tornando-se agente da emancipação dos escravos no Brasil. Hilliard respondeu a Nabuco em 25 de outubro, oferecendo pleno apoio à Sociedade Brasileira Contra a Escravidão e à causa abolicionista no Brasil. A troca de correspondências entre Nabuco e Hilliard foi amplamente noticiada pela imprensa[10], assim como o banquete em 20 de novembro oferecido em homenagem a Hilliard no Hotel dos Estrangeiros pela Sociedade e assistido por 50 brasileiros proeminentes (e com uma multidão ouvindo do lado de fora, com as janelas abertas). O *affaire* Hilliard (a imprensa conservadora e políticos conservadores acusaram o ministro americano de ingerência em questões internas brasileiras) provocou então um debate, tanto sobre a intervenção de Hilliard quanto sobre a escravidão, durante uma sessão especial da Câmara dos Deputados em 25 de novembro.[11]

No seu discurso durante o banquete para Hilliard, Nabuco destacou a necessidade de mobilizar a opinião pública mundial para apoiar o movimento antiescravista no Brasil. A própria opinião pública brasileira ainda não havia sido mobilizada, e não havia sinal de qualquer esmorecimento da resistência contra a abolição no Parlamento. Mas a elite política brasileira, incluindo o imperador, senão os próprios donos de escravos, poderiam ser influenciados pela opinião internacional, principalmente britânica e francesa. A pressão britânica persistente pela libertação dos *emancipados* (os escravos de navios negreiros capturados, libertados nominalmente por um tribunal/comissão misto anglo-brasileiro, com foro no Rio de Janeiro entre 1819 e1845), o apelo ao imperador pelo Comité d'Emancipation da França em 1866 e uma mensagem ao povo brasileiro da International Abolitionist Association em 1869 haviam contribuído indubitavelmente para a introdução e aprovação da Lei do Ventre Livre em 1871. As primeiras medidas tomadas pela Sociedade Brasileira Contra a Escravidão incluíram o anúncio da sua existência para a British and Foreign Anti-Slavery Society e outras sociedades abolicionistas do mundo e a distribuição de exemplares do seu *Manifesto* em inglês e francês. Em dezembro, aproveitando o recesso parlamentar, Nabuco viajou para a Europa a fim de, pessoalmente, chamar a atenção da comunidade internacional em relação à persistência da escravidão no Brasil.

Em Lisboa, Nabuco foi recebido na Câmara dos Deputados como líder do "partido" abolicionista no Parlamento brasileiro. Em Madri, foi homenageado pela Sociedad Abolicionista Española. Ao chegar em Londres, em fevereiro de 1881, procurou imediatamente a British and Foreign Anti-Slavery Society, que havia sido fundada em 1839 após a emancipação dos escravos no Império Britânico precisamente para promover a abolição da escravidão no mundo inteiro, e que a Sociedade brasileira considerava "a primeira organização desse tipo, e a mais influente no mundo", cuja cooperação era essencial para a luta antiescravista no Brasil.[12] Da sua parte, a Society recebeu Nabuco com todas as honrarias. Em 23 de março, foi-lhe oferecido um esplêndido *breakfast* no Charing Cross Hotel, presidido por Thomas Fowell Buxton, filho do famoso abolicionista homônimo, e ele próprio presidente eleito da Society. Cento e cinquenta pessoas assistiram à homenagem, incluindo 11 parlamentares. Houve um breve discurso por Buxton e outro por Nabuco, "um tanto quanto longo" de acordo com o *Times*. O banquete foi amplamente noticiado pela imprensa londrina – e, igualmente importante, pela imprensa do Rio de Janeiro.

Nabuco retornou ao Brasil em abril de 1881. Quando a Câmara dos Deputados foi dissolvida em 30 de junho – com nada resolvido quanto à abolição – ele se ofereceu como candidato pelo primeiro distrito da Corte (a capital, Rio de Janeiro) nas eleições a serem realizadas em 31 de outubro. Caso perdesse o assento no Parlamento, teria experimentado uma carreira política muito curta, porém disse: "Ficarei feliz de não a ter tido longa se para isso tivesse que me submeter à escravidão e negociar com ela".[13] Apesar de uma campanha forte, na qual recebeu o apoio de muitos abolicionistas, de fato foi derrotado, e teve que abandonar o Parlamento. Na recém-eleita legislatura, encolhera mais ainda a bancada minoritária dos abolicionistas. Nem os liberais nem os conservadores estavam preparados para assumir a responsabilidade por um projeto de lei que abolisse a escravidão, ainda que fosse uma abolição gradual. Nabuco foi obrigado a agir fora do Parlamento – principalmente escrevendo artigos para a imprensa. Sentindo-se frustrado, e apesar de ser acusado por alguns de haver abandonado muito prontamente a luta, em dezembro Nabuco partiu do Brasil e voltou a Londres, no que ele chamou de "praticamente um exílio forçado" em seu discurso de despedida "Aos abolicionistas brasileiros".[14]

Durante a estadia em Londres, desta vez durante quase dois anos e meio, de dezembro de 1881 até abril de 1884, Nabuco se manteve financeiramente como correspondente do *Jornal do Commercio* e consultor para empresas britânicas com investimentos no Brasil, porém dedicou grande parte de seu tempo a promover a causa abolicionista. Em julho de 1882, peticionou (sem sucesso) o Parlamento brasileiro pela "total abolição da escravidão, seja imediata ou dentro de curto prazo, a ser definido imediatamente", embora ainda defendesse a indenização dos donos de escravos.[15] Fez pesquisas no British Museum para seu livro *O Abolicionismo*, publicado em Londres em agosto de 1883. Sobretudo, colaborou extensamente com a Anti-Slavery Society, assistindo a inúmeras reuniões abolicionistas em Londres, além de diversos encontros internacionais. Com Charles Allen, montou um eficiente esquema de propaganda antiescravista. Fornecia informações a Allen, que se encarregava de divulgá-las na imprensa, principalmente no *Times*. Quando não conseguia a publicação dessas notícias nos diários ingleses, Allen as publicava no *Anti-Slavery Reporter*, o jornal da própria Society. O *Times*, que Nabuco chamava "a voz da civilização"[16], e que adotou uma postura clara em favor da abolição no Brasil, era o meio ideal de divulgação, devido à enorme influência dentro e fora da Grã-Bretanha, não menos no próprio Brasil.

No entanto, não era sem riscos a estratégia de Nabuco de internacionalizar a luta abolicionista no Brasil. Durante sua viagem à Europa em 1881, foi acusado pelos defensores da escravidão não apenas de manchar o nome do Brasil no exterior (ao revelar os males da escravidão), como também, por consequência, de falta de patriotismo. Tal acusação preocupava-o profundamente. E ele se defendeu em diversas ocasiões. Dedicou grande parte de seu discurso a esse tema no *breakfast* em sua homenagem, oferecido pela British Anti-Slavery Society em Londres em março de 1881. Acusavam-no, disse ele, de fomentar na Europa "uma espécie de intervenção moral em nossas questões domésticas, e de patentearem aos olhos do mundo uma desgraça nacional que devia ser cautelosamente escondida a todas as vistas". Respondia Nabuco: "posso, todavia, regozijar-me sempre que a opinião liberal de qualquer nação aplaudir a obra dos abolicionistas brasileiros (...) Não havemos agora de levantar uma muralha da China só para proteger os senhores de escravos contra as influências gerais que tornaram pouco a pouco o mundo inteiro incompatível com a escravidão".[17] Em *O Abolicionismo*, Nabuco denunciou o que ele chamava de "a corrupção do patriotismo", o uso do patriotismo para defender uma instituição já condenada por todo o mundo civilizado. Fundamentalmente, Nabuco acreditava que a abolição era uma questão de civilização, do progresso moral da humanidade, da disseminação dos valores universais, aos quais, finalmente, nenhum país poderia escapar. Não poderia ser considerada antipatriótica qualquer ação que ele empreendesse para elevar o Brasil ao nível de civilização já alcançado por outras nações.

Depois de quase dois anos e meio em Londres, Nabuco retornou ao Brasil em maio de 1884. Encontrava-se com a saúde debilitada, havia trabalhado demais e precisava de férias, mas sofria de saudades e de "falta do meu sol nativo". Mas a decisão também foi influenciada pelo fato de o movimento abolicionista fora do Parlamento ter adquirido considerável ímpeto durante sua ausência. Cada vez mais reuniões abolicionistas estavam sendo realizadas no Rio, Recife e outras cidades, atraindo um público grande, inclusive um número crescente de afro-brasileiros, mulatos e negros libertos. Em agosto de 1883, 13 sociedades abolicionistas de cinco províncias brasileiras se uniram para formar a Confederação Abolicionista, comprometida com a abolição imediata e sem indenização. Grande parte da imprensa do Rio de Janeiro situava-se cada vez mais contra a escravidão: *A Gazeta de Notícias*, na qual o abolicionista radical de origem negra José do Patrocínio se destacou pela primeira vez, o semanário *Revista Ilustrada*, com charges brilhantes do artista ítalo-brasileiro Ângelo Agostini, e sobretudo *A Gazeta da Tarde*. O *Jornal do Commercio*, o diário mais influente da capital, não tomou uma posição antiescravista ostensiva, mas um dos editores, Gusmão Lobo, era abolicionista convicto e amigo de Nabuco, e o redator-chefe, Luís de Castro, também apoiava a causa discretamente. Em março de 1884, o Ceará tornou-se a primeira província do Brasil a emancipar seus escravos – seguido em julho pelo Amazonas e finalmente, num sentido mais limitado (uma vez que o cativeiro foi substituído por uma forma de estágio), pelo Rio Grande do Sul.[18] Talvez, disse Nabuco a Allen, tivesse chegado o momento para "algum tipo de ação enérgica".[19]

Em junho de 1884, d. Pedro – reconhecendo a força crescente do abolicionismo enquanto movimento político nacional – chamou o senador Manuel Pinto de Sousa Dantas (cujo filho, o deputado Rodolpho Dantas, era amigo próximo de Nabuco) para formar um gabinete, o sexto governo liberal em seis anos, preparado para introduzir a primeira legislação antiescravista desde a Lei do Ventre Livre em 1871, embora com o propósito de uma abolição *gradual*, não imediata. Dantas introduziu um projeto para libertar os escravos com mais de 60 anos de idade. Entretanto, o projeto era mais abrangente do que pareceria à primeira vista, já que muitos escravos com menos de 60 anos haviam sido registrados com idades aumentadas artificialmente para que seus donos pudessem alegar que tinham entrado no país antes da lei de 1831 contra a importação de escravos. E era radical no sentido de representar o primeiro desafio direto à posse existente de escravos no Brasil. Além do mais, nenhuma indenização seria oferecida aos donos, sob a alegação de que escravos não eram propriedade e que, portanto, a escravidão carecia de legitimidade moral e jurídica. O movimento pela libertação dos escravos sexagenários sem indenização ganhou força extraordinária nas semanas seguintes, principalmente na imprensa. Porém, finalmente, Dantas não conseguiu unificar o Partido Liberal para apoiar seu projeto; muitos deputados liberais eram hostis ou indiferentes ao projeto. No final de julho foi derrotado numa moção de confiança, por 59 votos contra 52 na Câmara, e o projeto teve que ser abandonado. O imperador, no entanto, contra o desejo da maioria do Conselho de Estado, concedeu a Dantas a dissolução do Parlamento. E Nabuco tornou-se imediatamente candidato pelo primeiro distrito de Pernambuco (a cidade de Recife).

As eleições de dezembro de 1884, nas quais a questão principal, aliás, praticamente a única, era o projeto Dantas, não foram as primeiras realizadas sob as novas regras introduzidas pela lei de reforma política de Saraiva, de janeiro de 1881. Com a reforma, as eleições seriam diretas, com o voto restrito aos alfabetizados, exceto aqueles analfabetos já registrados para votar. Os abolicionistas esperavam ser os principais beneficiários dessas mudanças, já que a previsão era de um aumento no peso do voto urbano e de uma redução na fraude flagrante e na influência do governo nas eleições. Nabuco fez campanha pela primeira vez com uma plataforma de abolição imediata sem indenização aos donos (e pela reforma agrária equivalente, senão mais radical). Atraía multidões aos comícios no Teatro Santa Isabel em Recife, mas foi derrotado, embora por uma margem estreita. Contudo, devido a alguns tumultos, irregularidades e acusações de fraude, o resultado foi anulado. Numa segunda eleição em janeiro de 1885, o candidato conservador, Machado Portela, vencedor em dezembro, optou por abster-se, e, portanto, Nabuco venceu sem oposição; no entanto, quando a Câmara se reuniu em maio, anulou o novo resultado e assim mesmo entregou o lugar a Machado Portela. Entretanto, com a morte do representante do quinto distrito de Pernambuco (abrangendo os municípios de Nazaré e Bom Jardim), os outros candidatos liberais cederam lugar em favor de Nabuco, e em 5 de junho ele foi devidamente reeleito à Câmara. Descreveu a vitória como "uma ressurreição nacional, ou melhor, um nascimento nacional".[20]

Antes de Nabuco ser reconduzido ao Parlamento (depois de uma ausência de quatro anos), Dantas foi derrotado novamente – desta vez por 52 votos contra 50 – na recém-eleita Câmara na qual os liberais tinham uma maioria ainda mais numerosa. Dantas não conseguiu convencer o imperador a lhe conceder uma segunda dissolução e foi obrigado a se demitir. Foi substituído por José Antônio Saraiva, que em agosto conseguiu a aprovação, pela Câmara, de uma versão muito menos radical do projeto de Dantas: os escravos sexagenários seriam libertados, mas seriam obrigados a trabalhar durante mais três anos, quando os donos seriam indenizados; os senhores que libertassem os escravos com menos de 60 anos seriam indenizados através de um Fundo de Emancipação subsidiado (a valores acima do preço de mercado para escravos), e nesse caso os libertos seriam obrigados a prestar serviços durante mais cinco anos. Nabuco se opôs amargamente ao projeto "vergonhoso" de Saraiva, porque "faz com que nós, as pessoas pobres, os antigos escravos e todos aqueles que espontaneamente libertaram seus escravos tenham que pagar impostos para a redenção dos escravos de outras pessoas". A "oligarquia política" conseguira substituir o projeto de Dantas com outro para a liquidação da escravidão (sic) "nos melhores termos possíveis para as pessoas nela interessadas". Nabuco acusou o governo de Saraiva de tentar "fazer com que a morte e o enterro da escravidão sejam tão suaves que ninguém vai sequer se dar conta deles – nem o senhor de escravos nem o escravo, nem o país nem o mundo".[21] Mesmo assim, devido à oposição dos conservadores, Saraiva não acreditava que tivesse apoio suficiente para aprovar seu projeto no Senado. Como consequência, demitiu-se, e o imperador convocou o senador João Maurício Wanderley, barão de Cotegipe, líder do Partido Conservador, para concluir o trabalho iniciado por Saraiva. O projeto foi aprovado pelo Senado em agosto, tornando-se a Lei Saraiva-Cotegipe, mais conhecida como Lei dos Sexagenários, em 28 de setembro de 1885, décimo quarto aniversário da Lei do Ventre Livre. A nova lei contribuiu pouco para apressar o fim da escravidão: nos primeiros 12 meses em vigência, menos de 20 mil escravos com mais de 60 anos foram emancipados.

Enquanto isso, a Câmara liberal aprovou uma moção de desconfiança contra Cotegipe, que em 26 de outubro convocou novas eleições. Nas eleições de 15 de janeiro de 1886, Nabuco candidatou-se novamente por Recife. E mais uma vez foi derrotado, no que acabou sendo uma vitória esmagadora dos conservadores. Desencantado e desiludido, Nabuco passou grande parte do ano seguinte escrevendo para a imprensa do Rio de Janeiro e publicando panfletos, inclusive *O erro do Imperador* e *O eclipse do abolicionismo*, nos quais criticou amargamente d. Pedro por haver incentivado abolicionistas inicialmente com a escolha de Dantas, para depois entregar o governo, primeiro a Saraiva e depois ao escravista intransigente Cotegipe. Já estava cogitando em voltar novamente a Londres para ganhar a vida, mas se deu conta de que sua ausência seria prejudicial à causa abolicionista. De fato, voltou a Londres mais tarde, em abril de 1887 – desta vez como correspondente do jornal republicano *O Paíz*, fundado em 1884 por Quintino Bocaiúva, que considerava a propaganda abolicionista útil para sua crítica do sistema político do Império –, mas não ficou muito tempo em Londres nessa ocasião. Com a nomeação de Machado Portela para um cargo ministerial, de acordo com as regras da época, uma nova eleição teria que ser convocada em Recife. Nabuco voltou de Londres em agosto de 1887 e concorreu à eleição em 14 de setembro, desta vez derrotando o ministro em mais uma campanha memorável na qual a questão principal era a abolição. Nabuco interpretou o resultado como forte indicação do avanço da opinião abolicionista no Brasil, pelo menos no Nordeste.

Após a aprovação da Lei dos Sexagenários em setembro de 1885, não se esperava (e de fato não viria) nenhuma outra medida do governo Cotegipe no sentido da libertação dos escravos que ainda existiam no Brasil (entre 750 mil e um milhão). A maioria dos representantes políticos da elite escravista no Parlamento ainda considerava a escravidão indispensável e legítima. Nem os liberais nem os conservadores no Parlamento defendiam a abolição total. À escravidão seria permitido morrer naturalmente, o que, segundo os cálculos de alguns abolicionistas, levaria mais 30 anos. Até os mais otimistas acreditavam que o processo levaria mais oito ou dez anos. No entanto, em 1887, acelerou-se o declínio natural do sistema escravista como decorrência de dois fatores: primeiro, a deserção em massa dos escravos das fazendas de café em São Paulo, Minas Gerais e mais tarde no Rio de Janeiro, incentivados e até ajudados por líderes abolicionistas como Antônio Bento em São Paulo, na medida em que o movimento abolicionista fora do Parlamento ganhou força e se radicalizou[22], e facilitado pela recusa de muitos suboficiais do Exército – positivistas, abolicionistas e republicanos – de manter a ordem no campo ou de caçar e prender escravos fugitivos; segundo, um aumento na libertação voluntária dos escravos pelos senhores, temerosos do desmantelamento da mão de obra nas fazendas, em troca de promessas pelos escravos de permanecerem nas propriedades durante até mais três anos. A população escrava havia diminuído 50 % na década anterior; caiu novamente pela metade no ano até março de 1888, quando havia apenas entre 250 e 500 mil escravos no Brasil, ou seja, menos de 5 % da população total.

Igualmente importante para a morte definitiva da escravidão no Brasil era o fato de que os cafeicultores do norte e oeste de São

Paulo, onde a procura de mão de obra escrava era maior, foram finalmente obrigados a encontrar uma fonte alternativa de trabalhadores por meio da imigração subsidiada da Europa, principalmente da Itália. São Paulo recebeu 5 mil trabalhadores imigrantes europeus em 1884, 6.500 em 1885, 9.500 em 1886 e 32 mil em 1887 – números suficientes para tranquilizar os fazendeiros paulistas de que suas necessidades de mão de obra seriam satisfeitas, e para convencer seus representantes políticos, como o senador Antônio Prado, de que poderiam apoiar com segurança a abolição dos remanescentes da escravidão no Brasil. Noventa e dois mil imigrantes europeus chegaram a São Paulo em 1888, e 750 mil na década após a abolição, principalmente italianos, 80 % subsidiados pelo governo da província, e destinados, em sua maioria, às fazendas de café.[23]

Em fevereiro de 1888, Joaquim Nabuco deu mais uma contribuição à abolição – novamente desde o exterior. Em junho de 1887, d. Pedro II, que estava enfermo, viajara à Europa para se tratar (não pela primeira vez), deixando a filha como regente. A princesa Isabel era conhecida pela força de suas convicções religiosas. Em novembro, Nabuco viajou à Europa mais uma vez, agora com o objetivo de convencer o papa Leão XIII a se pronunciar contra a escravidão. Acreditava-se que Isabel fosse cada vez mais favorável à causa abolicionista, e Nabuco calculou que ela poderia ser convencida a tomar as medidas necessárias para emancipar os escravos remanescentes no Brasil. Em Londres, os amigos de Nabuco na British and Foreign Anti-Slavery Society, muitos dos quais religiosos (Quakers, no caso), apresentaram-no ao cardeal Manning, arcebispo de Westminster e líder da Igreja Católica na Grã-Bretanha, e este redigiu uma carta de apresentação de Nabuco ao papa. Ao fim de um mês de espera em Roma, Nabuco foi recebido pelo papa em 10 de fevereiro, e Leão XIII prometeu emitir (e de fato publicou) uma encíclica condenando a escravidão. Entretanto, Cotegipe conseguiu que a publicação da encíclica fosse postergada, mas o relato de Nabuco sobre a reunião com o papa foi publicado n'*O Paíz*, tornando pública a posição do Santo Padre em relação à escravidão.

Até o início de 1888, os líderes políticos brasileiros estavam sendo obrigados a encarar o evidente desmoronamento do sistema escravista. Havia temores exagerados de um grande cataclismo social. No Parlamento, a maioria dos liberais apoiava (finalmente) a abolição, enquanto os conservadores estavam divididos. Por fim, em março de 1888, Cotegipe demitiu-se, convencido pela princesa regente. Foi substituído por João Alfredo Correia de Oliveira, líder da ala reformista do Partido Conservador desde a morte de Rio Branco em 1880, e que havia indicado sua disposição no sentido de formar um governo comprometido com a emancipação dos 250 a 500 mil escravos que ainda restavam no Brasil. Inicialmente, João Alfredo esperava conseguir adiar a abolição final por um mínimo de cinco anos, o que se revelou um sonho impossível. Antônio Prado, que havia-se demitido como ministro da Agricultura de Cotegipe, voltou para integrar o gabinete de João Alfredo, e ele, junto com André Rebouças, um dos líderes abolicionistas mais influentes, começou a redigir um projeto de lei para a abolição imediata e incondicional. Nabuco, que na época estava em Londres, depois da missão a Roma, começou a tratar do seu regresso imediato ao Brasil. No dia 30 de março chegou a Recife, onde em 12 de abril discursou durante um enorme comício abolicionista no Teatro Santa Isabel. Em 18 de abril, já estava no Rio de Janeiro, pronto para a reabertura do Parlamento, e para liderar a batalha final pela abolição. No entanto, admitiu no diário que muitos dos líderes da Confederação Abolicionista estavam inconformados com ele por haver passado tanto tempo fora do país. José do Patrocínio, em particular, escrevendo para *Cidade do Rio*, estava furioso. Disse Nabuco: "[ele] ataca-me, chama-me ausente, diplomata e muitos outros nomes".[24]

Em 8 de maio, foi submetido à Câmara dos Deputados um projeto para a abolição imediata da escravidão, sem indenização. Nabuco, como líder histórico dos abolicionistas no Parlamento, e embora tivesse apenas 38 anos, tomou para si a responsabilidade de garantir a aprovação da lei em regime de urgência, particularmente ao assegurar o apoio dos liberais (embora o projeto tenha sido apresentado por um governo conservador), além de convencer a Câmara a dispensar a ordem legislativa normal. O projeto foi aprovado por 83 votos contra nove (principalmente deputados intransigentes do Rio de Janeiro) após a segunda leitura, em 9 de maio. Foi lido por uma terceira vez e remetido ao Senado no dia seguinte. Manuel Pinto de Sousa Dantas assumiu a responsabilidade pelo projeto quando foi submetido ao Senado no dia 11 de maio. No dia seguinte, foi aprovado após a segunda leitura, com apenas seis votos contra (inclusive o de Cotegipe). No dia 13 de maio, depois da terceira e última leitura no Senado, Joaquim Nabuco, que durante quase uma década, desde 1879, havia desempenhado um papel central no avanço lento – e até 1887–88, incerto – da causa abolicionista, tanto dentro do Parlamento quanto fora, no Brasil e no exterior, principalmente em Londres –, teve a satisfação de discursar para uma multidão grande e entusiasmada desde uma janela do Paço da Cidade (Paço Imperial), onde a princesa regente assinara a Lei Áurea declarando a extinção da escravidão no Brasil e libertando todos os escravos remanescentes no Brasil.[25]

NOTAS

1 A *Emancipation Proclamation* de Lincoln (10 de janeiro de 1863) determinou a libertação dos escravos nos Estados Confederados então rebelados contra a União, e foi aplicada na medida em que tais estados vieram a ser controlados por esta. Finda a Guerra (e depois do assassinato de Lincoln) em abril de 1865, a XIII Emenda à Constituição (dezembro de 1865) aboliu a escravidão em todos os Estados Unidos.

2 Em janeiro de 1880, o Parlamento espanhol aboliu a escravidão em Cuba, mas os escravos deveriam permanecer cativos durante mais oito anos, sob um sistema conhecido como *patronato*. O sistema de *patronato* foi aboliu 15 meses antes do prazo, em outubro de 1886.

3 Sobre o tráfico, ver Leslie Bethell, *The abolition of the Brazilian slave trade. Britain, Brazil and the slave trade question 1807–1869* (Cambridge: Cambridge University Press, 1970). Publicado em português: São Paulo, Editora Expressão e Cultura & Editora da Universidade de São Paulo, 1976; Brasília: Editora do Senado Federal, 2002.

4 Carolina Nabuco, *Vida de Joaquim Nabuco por sua filha* (São Paulo, 1928), 36–7. A biografia mais recente de Nabuco é de Ângela Alonso, *Joaquim Nabuco* (São Paulo: Companhia das Letras, 2007).

5 Joaquim Nabuco, *Minha formação* [1890]. Brasília: Senado Federal, 1998, 188.

6 O original assinado de "A escravidão", um manuscrito de 230 páginas, foi doado ao Instituto Histórico e Geográfico Brasileiro pela viúva de Nabuco, Dona Evelina, em setembro de 1924: "mais uma prova", ela escreveu, "de como desde quase a infância a escravidão foi a sua preocupação e a abolição o seu ideal". O texto foi publicado pela primeira vez na *Revista do Instituto Histórico e Geográfico Brasileiro* em 1949.

7 Sobre os escravos de Cata Branca, por cuja liberdade Nabuco lutou através dos tribunais brasileiros e britânicos até que os 223 que ainda restavam vivos fossem finalmente libertados em junho de 1882, ver Marshall C. Eakin, *British enterprise in Brazil. The St. John d'El Rey Mining Company and the Morro Velho gold mine, 1830–1960* (Durham, N.C., 1989).

8 Correspondência de Allen para Nabuco em 8 de janeiro de 1880, de Nabuco para Allen em 8 de abril de 1880, em Leslie Bethell & José Murilo de Carvalho (orgs.), *Joaquim Nabuco e os abolicionistas britânicos. Correspondência 1880–1905* (Rio de Janeiro: Topbooks & Academia Brasileira de Letras, 2008), 46–51, 54–63. Existe uma edição em inglês: *Joaquim Nabuco, British abolitionists and the end of slavery in Brazil: Correspondence 1880–1905* (Londres: Institute for the Study of the Americas, 2009). O ensaio presente cita extensamente a correspondência de Nabuco com Charles Allen, então secretário da *British and Foreign Anti-Slavery Society* (1879–98) e que se tornou e permaneceu amigo íntimo de Nabuco até a morte do abolicionista britânico em dezembro de 1904. Alguns trechos deste ensaio são reproduzidos da Introdução ao livro. Sou grato a José Murilo de Carvalho, coautor da Introdução, por haver autorizado as citações.

9 Nabuco a Allen, 5 de junho de 1881, em Bethell & Carvalho (orgs.), *Correspondência*, op. cit., 106–109.

10 Por exemplo, *Jornal do Commercio* (31 de outubro), *Gazeta de Notícias* (31 de outubro), *Rio News* (5 de novembro). O *Rio News*, propriedade do americano Andrew Jackson Lamoureux, traduziu para inglês os documentos fornecidos pela Sociedade Brasileira Contra a Escravidão, e depois pela Confederação Abolicionista, e passou a divulgá-los entre a influente comunidade anglófona no Brasil.

11 Ver David I. Durham, *A Southern moderate in radical times. Henry Washington Hilliard 1808–1892* (Baton Rouge: Louisiana State University Press, 2008). As paredes da sala onde foi realizado o banquete eram decoradas com retratos de Abraham Lincoln, Willian Lloyd Garrison etc. E o cardápio incluiu *mayonaisse de homards à la Wilberforce, jambon d'York à la Garrison, culotte de boeuf à la Paranhos* etc. Os discursos foram seguidos por *liqueurs l'Emancipation*. Durham, op. cit., 190.

12 Da Sociedade Brasileira Contra a Escravidão para a *British and Foreign Anti-Slavery Society*, 20 de dezembro de 1880, em Bethell & Carvalho (orgs.), *Correspondência*, op. cit., 74–77

13 Nabuco para Allen, 5 de junho de 1881, em Bethell & Carvalho (orgs.), *Correspondência*, op. cit., 106–109.

14 *O Abolicionista*, o jornal da Sociedade Brasileira Contra a Escravidão, 10 de dezembro de 1881. Este foi o último número de *O Abolicionista*.

15 *Annaes do Parlamento Brasileiro* 1882 tomo II, 294; *Jornal do Commercio*, 15 de julho de 1882.

16 Nabuco para Allen, 27 de julho de 1883, em Bethell & Carvalho (orgs.), *Correspondência*, op. cit., 192–195.

17 Ver *O Abolicionista* de 5 de janeiro de 1881, 5–6. Um rejeição ainda mais enfática contra a acusação de conduta antipatriótica foi provocada por artigo escrito pelo professor Goldwin Smith, historiador britânico-canadense, na *Macmillan's Magazine* em março de 1886, no qual o autor criticou o abolicionista norte-americano William Lloyd Garrison por haver buscado o apoio da opinião pública inglesa. Nabuco escreveu uma réplica em defesa de Garrison, mas também em defesa própria, e perguntou se Allen conseguiria publicá-la no *Times*. Foi um dos poucos casos em que Allen não conseguiu incluir uma carta de Nabuco no *Times*. Foi publicada mais tarde no *Anti-Slavery Repórter* (agosto-setembro de 1886).

18 É claro que essas províncias tinham relativamente poucos escravos. Como disse Adam Smith sobre os Quakers na Pensilvânia e em outros estados do Norte dos Estados Unidos que optaram pela emancipação antecipada, "[Sua] decisão (...) de libertar todos seus escravos negros pode nos assegurar que o número não é muito grande".

19 Nabuco a Allen, 31 de março de 1884, em Bethell & Carvalho (orgs.), *Correspondência*, op. cit., 206–209.

20 Nabuco a Allen, 23 de junho de 1885, em Bethell & Carvalho (orgs.), *Correspondência*, op. cit., 244–245.

21 Nabuco a Allen, 17 de maio de 1885 e 6 de agosto de 1885, em Bethell & Carvalho (orgs.), *Correspondência*, op. cit., 228–231, 246–255.

22 Sobre a evolução do movimento abolicionista no Brasil, a obra clássica é de Evaristo de Moraes, *A campanha abolicionista 1879–1888* ([1924] Brasília: Editora da Universidade de Brasília, 1988). Ver também Emilia Viotti da Costa, *Da senzala à Colônia* (São Paulo: Difusão Europeia

do Livro, 1966) e Robert Conrad, *The destruction of Brazilian slavery 1850–1888* (Berkeley: University of California Press, 1972; tradução em português, Rio de Janeiro: Civilização Brasileira, 1975). Para uma tentativa recente de "recontextualizar o abolicionismo" ao mostrar como o movimento abolicionista interagiu com a elite e a política parlamentar, ver Jeffrey D. Needell, "The lost way: political history and the historiography of Brazilian abolitionism", trabalho inédito apresentado no painel sobre "A mobilização afro-brasileira desde a independência: novos caminhos, novas questões" na reunião anual da Conferência sobre História Latino-Americana, da *American Historical Association*, em Washington, janeiro de 2008.

23 Thomas H. Holloway, *Immigrants on the land. Coffee and society in Sao Paulo 1886–1934* (Chapel Hill: University of North Carolina Press, 1980), Appendix 4, 179.

24 Joaquim Nabuco, *Diários* vol. 1 1873–88 (Rio de Janeiro: Editora Bem-Te-Vi & Recife: Editora Massangana, 2005), 291 (23 de abril de 1888).

25 Aquela que talvez seja a lei mais importante da história do Brasil também é a mais curta. Consiste em apenas dois artigos: "Artigo 1º É declarada extinta desde a data desta Lei a escravidão no Brasil; Artigo 2º Revogam-se as disposições em contrário." Nabuco comentou a Allen, "O que a princesa fez foi algo muito ousado e corajoso (...) confio em Deus que não irá perder o trono por isso'. Nabuco a Allen, 8 de janeiro 1889, em Bethell & Carvalho (orgs.), *Correspondência*, op. cit., 366–369. O Império foi derrubado 18 meses depois, em 15 de novembro de 1889.

"A APROXIMAÇÃO DAS DUAS AMÉRICAS": A PROMOÇÃO DO BRASIL FEITA POR JOAQUIM NABUCO EM UNIVERSIDADES AMERICANAS

Stephanie Dennison

Este artigo terá como foco um dos discursos proferidos por Nabuco em universidades americanas. "A Aproximação das Duas Américas", no caso, serviu de palestra de abertura do ano letivo na Universidade de Chicago, em agosto de 1908. Pretendo oferecer um contexto para interpretar o pan-americanismo de Nabuco e, quem sabe, introduzir alguns dos trabalhos que ouviremos nos próximos dias.

Em seu discurso, Nabuco não desperdiça tempo cumprindo o protocolo normalmente associado a ocasiões solenes:

> Inclino-me a aceitar a honra [do convite feito] como uma honrosa obrigação pessoal, mas permitam-me vê-la principalmente como um sinal da sua simpatia ao trabalho de aproximação das duas Américas.[1]

Desde o início (e também na conclusão de seu discurso), Nabuco deixa claro que se encontra em Chicago para promover o pan-americanismo. Voltemos brevemente no tempo para examinar o que o trouxe até esse momento.

Em 1898, já era de conhecimento geral que Nabuco isolara-se de grupos monarquistas, e rumores indicavam que logo aderiria à

República. Da primeira vez que lhe foi oferecido o posto de representante brasileiro em Londres para a resolução de um litígio relacionado à fronteira entre o Brasil e a Guiana, Nabuco declinou. Porém, com o encorajamento de líderes republicanos, acabou cedendo e argumentou que não poderia recusar missão tão patriótica.

O patriotismo de Nabuco o levou à Europa e à desastrosa arbitragem da questão da fronteira com a Guiana Inglesa. Depois de produzir 18 volumes a respeito do tema, Nabuco viu o mediador, o rei Vitor Emanuel III da Itália, entregar o território disputado aos ingleses. Mais tarde descobriu-se que o rei não tinha a intenção de provocar uma potência como a Inglaterra por causa de uma disputa territorial de menor importância. Para tornar as coisas ainda mais difíceis enquanto era ministro interino em Londres, Nabuco foi obrigado a enfrentar o preconceito aberto do monarca inglês em relação a diplomatas latino-americanos, que ele achava que não tinham a apresentação e o decoro necessários para serem convidados às recepções oficiais no palácio.

O fato de a ocupação ter sido vista, na disputa de fronteira com a Guiana, como equivalente da soberania pareceu colocar vastas extensões desabitadas do Brasil à mercê de intrigas europeias. Por essa razão, João Frank da Costa parece certo ao afirmar que:

> A necessidade de proteger o território brasileiro levou Nabuco a aderir definitivamente e com entusiasmo ao monroísmo.[2]

Talvez os Estados Unidos, com o seu ainda desconhecido mas aparentemente promissor porvir, com a sua falta de passado e tradições para complicar o presente, começassem a significar, para Nabuco, uma alternativa melhor para alianças futuras com o Brasil. O status de nação mais favorecida que Nabuco acreditava que o Brasil tinha conquistado durante o Império, por conta de seu regime monárquico, já não podia ser recuperado, uma vez que a batalha pela restauração, há algum tempo, era uma causa perdida. O vácuo deixado pelo fim da Monarquia, na visão de Nabuco, poderia ser preenchido pelos Estados Unidos, e o vácuo ideológico e político-pessoal de Nabuco, pela mesma razão, poderia ser preenchido pelo monroísmo.

O monroísmo de Nabuco, ou melhor, sua fé na capacidade de os Estados Unidos defenderem a integridade e a soberania das nações do continente americano, foi mais difícil de reconciliar com seu passado monarquista do que com seu apoio à República, sendo ele, como diplomata, supostamente neutro do ponto de vista político. A reconciliação foi possível pelo ethos da construção de uma nação, questão central na *belle époque*, na qual a necessidade de garantir as fronteiras brasileiras estava no topo da lista das preocupações dos intelectuais.

Nabuco tinha sua própria interpretação do monroísmo, que, para todos os fins, acomodava sua noção de que o Brasil era superior às outras repúblicas latino-americanas. O U.S. Foreign Office (Ministério de Relações Exteriores dos Estados Unidos) mantinha uma atitude extremamente flexível diante de governos latino-americanos. Apesar de os Estados Unidos terem apoiado Floriano Peixoto durante a Revolta da Armada em 1893 e, portanto, terem tolerado seu regime militar opressor, o interesse próprio do país significava que os americanos estavam prontos a aceitar qualquer *status quo* que acabasse por atender seus interesses. A ameaça do militarismo ainda pairava no Brasil de 1905, e torna-se compreensível, portanto, que Nabuco tenha se convencido da possibilidade de os Estados Unidos defenderem um governo civil, baseado na sua interpretação pessoal da doutrina do monroísmo. Em uma carta de 1909 a Barbosa Lima, Nabuco escreveu:

> Tem sido um milagre histórico a conservação do imenso todo chamado Brasil. Até hoje isso foi, em grande parte, obra de fortuna, mas dora em diante será preciso que a ajudemos com outras forças além das nossas (...) é possível que os Estados Unidos percam um dia todo o interesse nesta doutrina, nesse dia, ai de nós, se a nossa amizade não estiver já bem cimen-

tada. Com os princípios modernos quanto à soberania de territórios não ocupados haveria somente no vale do Amazonas campo vastíssimo para o estrangeiro, sem tocar a orla efetivamente apropriada por nós e outras nações (...) Não vejo nenhuma outra intuição da qual dependa tanto a conservação do nosso grande todo nacional.[3]

A presença de Nabuco nos Estados Unidos, em 1905, começou como um posto temporário: sua missão imediata era instalar a embaixada brasileira em Washington, tarefa dificultada pelo fato de o governo brasileiro parecer incerto em relação ao papel que um embaixador deveria desempenhar e também porque os recursos financeiros para montar a embaixada não foram disponibilizados de imediato. Rio Branco, que era ministro das Relações Exteriores desde 1902, tinha poder considerável dentro do governo, e recebeu do presidente Rodrigues Alves carta branca para questões de relações com os Estados Unidos. Foi iniciativa de Rio Branco a criação do posto de embaixador. Nabuco havia manifestado a Rio Branco seu apoio ao monroísmo antes de receber a indicação para o posto, portanto o raciocínio do ministro em relação ao estabelecimento da embaixada em Washington parecia ser o do fortalecimento das relações entre Brasil e Estados Unidos. O Senado brasileiro, porém, parecia ter aprovado a ideia da criação do posto como forma de controlar o imperialismo americano na América Latina. O próprio presidente expressou suas dúvidas em relação às intenções americanas na região em uma carta a Nabuco, em 1906.[4] Já se sugeriu também que a questão do Acre, ainda então por resolver, que provocava contínuas críticas nas fileiras da oposição no governo brasileiro, pressionou Rio Branco a instituir a embaixada como um meio de desviar a atenção do litígio. Outra razão para a escolha do momento de instalação da embaixada é que em 1902, um ano após a segunda Conferência Pan-americana, o México havia conseguido elevar sua missão em Washington ao status de embaixada e criava oportunidades de estreitamento de laços com os Estados Unidos. Além disso, o México já vinha há algum tempo fazendo pressão para aumentar sua participação no mercado de café americano, o que, de fato, pode ter influenciado as considerações do Brasil sobre a utilidade de abrir uma embaixada em Washington.

A incerteza quanto ao papel de Nabuco, inicialmente de natureza temporária, e o fato de a correspondência de Rio Branco ser a mínima possível, não representavam a base de uma diplomacia confiante. Essa pode ser a razão pela qual Nabuco embarcou em uma aventura política baseada em suas próprias aspirações sociopolíticas. A cada eleição de um novo presidente brasileiro, Nabuco escrevia ao recém-chegado, de forma muito pessoal, sobre sua visão, declarando que só trabalharia dentro de parâmetros pró-monroístas e pró-americanos.

Apesar da falta de convicção do governo brasileiro, Nabuco reconhecia a importância simbólica da abertura da embaixada:

> Eu não era muito favorável ao título (...) mas reconheço que neste caso o título só por si é um manifesto que tem a grande vantagem de dizer tudo sem nada precisar.[5]

Essa foi sua reação à nomeação ao posto de embaixador junto aos Estados Unidos, em 1905. Ao mesmo tempo, Nabuco expressou suas ideias que confirmavam sua crença no potencial do monroísmo e, por conseguinte, do pan-americanismo, de levar o Brasil ao século XX:

> Terei que ir estudando a Doutrina Monroe. Mas é um belo assunto, e a aurora dos novos destinos do mundo é uma observação interessante para espectadores como nós.[6]

Um novo século começava, carreando mudanças consideráveis. O aumento de problemas fora da Europa revelou a fraqueza do continente em relação a políticas externas, fortalecendo a posição dos Estados Unidos. Nabuco reconhecia que, tanto em termos nacionais quanto internacionais, o Brasil precisava adotar uma visão geral renovada da política mundial e mudar o eixo da diplomacia. A base de sua visão era a Doutrina Monroe: Nabuco a via como a garantia de que o país se libertaria da interferência europeia e, como consequência, criaria a possibilidade de formar um bloco poderoso nas Américas, que caberia, pelo menos simbolicamente, nos padrões mundiais que estavam sendo criados por conta da pressão da Europa:

> Para mim, a Doutrina Monroe significa que politicamente nós nos desprendemos da Europa tão completamente e definitivamente como a lua da terra. Neste sentido, sou monroísta.[7]

As linhas acima, conforme indica acertadamente Stanley Hilton, contêm considerável ambiguidade, uma vez que a Lua nunca se livra da influência da Terra. Ainda assim, é possível observar a evolução de um raciocínio de esferas de influências separadas, diferente de outra opinião proferida por Nabuco, em 1902, em relação ao vínculo entre o Brasil e as grandes potências:

> (...) unindo as duas legações de Londres e Washington é o que deverá ser, porque é uma só política, hoje a Inglaterra sendo a mais americana das nações.[8]

Ao apresentar suas credenciais ao presidente Roosevelt, Nabuco expressou a seguinte esperança no futuro:

> Todos os votos do Brasil são (...) pelo aumento da imensa influência moral que os Estados Unidos exercem sobre a marcha da civilização e que se traduz pela existência no mundo pela primeira vez na história de uma vasta zona neutra de paz e de livre competição humana.[9]

Em uma carta a Rodrigues Alves, Nabuco parece estar aludindo ao fato de que os benefícios da quase tutelagem americana não deveriam ser desprezados – certamente questões econômicas eram subjacentes às aspirações pan-americanas dos Estados Unidos, mas a América Latina só se beneficiaria por suas ações:

> Não é só o crédito financeiro das repúblicas sul-americanas que depende da ordem, é a sua existência indepedente e a sua integridade territorial.[10]

É importante destacar esse ponto se desejamos entender a forma branda do monroísmo de Nabuco. Ele foi muitas vezes criticado por ser romântico em sua atitude em relação aos Estados Unidos e por se concentrar no lado ideológico do pan-americanismo em vez de outros vínculos maiores que os Estados Unidos poderiam realmente representar. Nabuco vinha observando seus vizinhos latino-americanos desde 1889 e, portanto, percebia as ocasiões em que os Estados Unidos exageraram em sua interpretação do monroísmo. Depois de 1905, apesar de fazer um esforço consciente para evitar uma divergência entre o Brasil e os Estados Unidos, Nabuco, contudo, não apoiou as intrigas americanas na América Latina. Em uma carta endereçada a Rio Branco, enviada em dezembro de 1905, ele resumiu sua reação ao infame Corolário Roosevelt, onde os Estados Unidos parecem outorgar a si mesmos o poder de policiamento para intervir em países que tivessem cometido "erros crônicos":

> Note você que eu não acompanho as ideias de Mr. Roosevelt sobre a ocupação norte-americana, ou outra (...) de países sul-americanos. O meu monroísmo é mais largo (...)[11]

Em Washington, o caminho que Nabuco trilhou para alcançar a aproximação com os Estados Unidos foi por meio do pan-americanismo, um conceito nascido dos princípios da Doutrina Monroe, que promovia maior unidade entre repúblicas das Américas, por intermédio, eventualmente, de conferências. Nabuco rapidamente deixou clara sua simpatia pela causa do pan-americanismo. Isso pode ser observado nos esforços empreendidos para convencer outros estados influentes a permitir que a Terceira Conferência Pan-americana fosse realizada na capital brasileira, em 1906. Nesse mesmo ano, em Filadélfia, Nabuco falou sobre o tipo de conferência que tinha em mente: uma que servisse de testemunha à aprovação unânime da Doutrina Monroe e do papel dos Estados Unidos em questões do hemisfério:

> (...) é necessário que as repúblicas americanas não julguem o papel que os Estados Unidos tiveram e têm que representar para defender a Doutrina Monroe, como ofensivo de modo algum, ao orgulho de dignidade de quaisquer delas, mas ao contrário, como um privilégio que todos devem apoiar, ainda que seja só com sua simpatia e gratidão. Isso será, sem dúvida, o resultado final da Conferência Pan-americana.[12]

A Terceira Conferência Pan-americana fortaleceu as relações entre o secretário de Estado Elihu Root e Nabuco e, portanto, entre os Estados Unidos e o Brasil. O Brasil proporcionou ao secretário uma plataforma de apoio sobre a qual expor as virtudes da política externa americana para as Américas. Tal plataforma foi de grande importância, dada a cultura da desconfiança, em muitos setores da opinião pública nas repúblicas latino-americanas. Nabuco se refere a isso no discurso "A Aproximação das Duas Américas":

> Gerações futuras questionar-se-ão sobre muitas coisas em relação ao progresso de nossa época, mas acima de tudo perguntar-se-ão por que os dois maiores países de nosso continente permaneceram alienados um do outro por tanto tempo. Uma das razões para o isolamento é que muitos espíritos na América Latina tinham medo de um contato mais próximo com vocês, devido à grande diferença de poder entre esta e toda outra nação americana.

Ao escrever sobre o livro de Eduardo Prado *A ilusão americana*, publicado em 1893 e depois banido pelo governo pró-americano de

Floriano Peixoto, Nabuco viu na obra um estímulo à falta de confiança em relação aos Estados Unidos, afirmando que, apesar de sua idade e falta de energia, estava pronto a recomeçar e fazer propaganda americana para combater os argumentos de Prado, tanto nos Estados Unidos quanto no Brasil:

> (...) este o meu modo de ser patriota, de compreender a indivisibilidade do nosso todo, de ler o futuro inevitável, não digo inadiável.[13]

Sua nova postura de propaganda americana foi disseminada por meio de discursos públicos, como o da palestra inaugural do ano letivo da Universidade em Chicago, em 1908.

Apesar do êxito da Conferência Pan-Americana de 1906, a propaganda americana de Nabuco tornou-se ainda mais premente em 1908, devido a eventos em 1907 e, especialmente, à aparente oposição de Rui Barbosa à ascendência dos Estados Unidos sobre as Américas na segunda Convenção sobre a Resolução Pacífica de Controvérsias Internacionais de Haia. De acordo com Carolina Nabuco, a liderança da delegação brasileira havia sido oferecida a seu pai, que aceitara a missão. Rio Branco, porém, forçado pela opinião pública, foi obrigado a considerar a candidatura de Rui Barbosa, então vice-presidente do Senado e um dos mais respeitados intelectuais do Brasil. Rio Branco voltou atrás no convite feito a Nabuco, afirmando que ele poderia de qualquer forma participar da conferência, mas mantendo-se subordinado a Rui Barbosa. Nabuco recusou, alegando problemas de saúde.

Em uma carta datada de março de 1907 e endereçada ao amigo próximo e diplomata Graça Aranha, Nabuco desabafou sua raiva da decisão tomada por Rio Branco de enviá-lo a Haia como segundo no comando, abaixo de Rui Barbosa:

> (...) o presidente da Conferência Pan-americana no Rio, segundo na delegação do Brasil a Haia. Que desprestígio para aquela Conferência, que homenagem singular a esta![14]

Em Haia, o Brasil, comportadamente, apoiou os Estados Unidos na capciosa questão da cobrança da dívida, mas houve divergências entre as duas nações, como resultado da apresentação de Barbosa de uma minuta sobre a igualdade de todos os Estados em suas representações no Tribunal Arbitral de Justiça que estava sendo criado. Sua proposta acabou sendo retirada, apesar de seu único objetivo, de acordo com Rui, ter sido "ilustrar com exemplos concretos o tipo de tribunal consistente com a igualdade intocada das nações e pelo exercício da soberania"[15], que estaria preparado a aceitar.

A declaração do Brasil a respeito da igualdade de todas as nações na Convenção sobre a Resolução Pacífica de Controvérsias Internacionais de Haia se tornou quase parte do folclore brasileiro – tamanho o apoio que a atitude de Barbosa encontrou, sendo que ele é louvado até hoje por gerações de brasileiros. O "águia de Haia", como Barbosa ficou conhecido, foi igualmente louvado por suas ações em outros Estados latino-americanos e, por isso, há a sensação de que sua pequena vitória diplomática possa ser considerada como responsável por uma melhora considerável nas relações hispano-americanas.

O fato de Nabuco não estar em Haia em função oficial permitiu que o Brasil desafiasse os Estados Unidos, com o menor dano possível às relações entre os dois países, mas avançando um pouco no abrandamento da suspeita que os vizinhos latino-americanos do Brasil tinham em relação ao embaixador brasileiro e sua atitude excessivamente amigável para com os Estados Unidos.

A Convenção de Haia e a notoriedade alcançada por Rui tiveram o apoio inicial de Nabuco, especialmente em relação à contribuição de Barbosa para elevar o prestígio intelectual do Brasil. Ao voltar a Washington, porém, Nabuco logo descobriu que algum dano havia sido feito à sua campanha pan-americana pró-Estados Unidos, tanto nos Estados Unidos quanto em casa, dano esse que, apesar de seus esforços para alterar o contexto da vitória de Rui, não foi totalmente reparado pela entusiasmada recepção dada por brasileiros à frota americana em 1907. Nabuco mais uma vez demonstrava que não estava pronto para aceitar a noção de que o Brasil era igual a seus vizinhos, e sua dedicação à sua forma pessoal de monroísmo era tal que estava até mesmo preparado a desdenhar o sucesso diplomático do "águia de Haia" para preservar seu próprio êxito em Washington. Desta forma, em 1908, na época do discurso de Chicago, Nabuco ainda estava empenhado num exercício de contenção de danos, por causa da atuação de Barbosa em Haia.

Em "A Aproximação das Duas Américas", apesar do cuidado com que louva os Estados Unidos, como pedia o prôtocolo, Nabuco coloca alguma culpa pela demora da aproximação das duas Américas nos ombros dos Estados Unidos. Ele descreve a resistência feita pelos Estados Unidos à aproximação das Américas como uma forma de indiferença. Aqui, ele suaviza as visões expressadas em suas memórias, *Minha formação*, primeiramente publicadas em 1900, quanto à opinião norte-americana sobre outros povos. Escreve:

> É preciso não esquecer, tratando-se do norte-americano, que a igualdade humana para ele fica dentro dos limites da raça; já não falando do chim ou do negro – que seria classificado, se vencesse o instinto americano, em uma ordem diferente da do homem –, nunca ninguém convenceria o livre cidadão dos Estados Unidos, como ele se chama, de que o seu vizinho do México ou de Cuba, ou os emigrantes analfabetos e os indigentes que ele repele dos seus portos, são seus iguais. Para com estes, o seu sentimento de altivez converte-se no mais fundo desdém que ente humano possa sentir por outro.[16]

Na verdade, a questão da imigração é mencionada em "A Aproximação das Duas Américas", que ele define como o ponto comum no destino de todas as nações das Américas. "Todos devemos ser nações imigrantes", afirma. Nesse caso, porém, Nabuco se referia ao já grande movimento de imigrantes europeus brancos para os Estados Unidos e para outros lugares das Américas. É bom lembrar que o sonho nacional de Nabuco, descrito em *O Abolicionismo* em 1883, era "ver uma comunidade brasileira ilimitada, liberal e progressiva, pacífica e forte".[17] Essa "reconstrução da nação" seria causada em grande parte por uma "transfusão de sangue" no país, sob a forma de imigrantes europeus brancos que, uma vez realizada a abolição da escravatura no país, levaria o Brasil ao progresso – um destino que o regime escravocrata e os escravos libertos não conseguiram cumprir. Assim, o contexto em que discutir a questão da imigração, a meu ver, é a crença de Nabuco de que o Brasil era sociologicamente diferente do resto da América Latina. Vale a pena ressaltar que uma de suas preocupações em Washington foi questionar a noção de que a Argentina era "a mais branca" das nações latino-americanas.

Nabuco, mais adiante em seu discurso, destaca que os tempos eram outros e que, em parte graças ao trabalho de Elihu Root como secretário de Estado, novos ventos sopravam na ideologia do pan-americanismo. Ele aparentemente tenta reescrever a história ao perguntar:

> Será que a Doutrina Monroe apenas se inspirou no medo de ver a Europa ampliar suas esferas de influência paralelas sobre a América, como fez posteriormente com a África e quase teve êxito fazendo na Ásia, colocando em risco sua posição solitária? Ou será que foram também movidos pela intuição de que esse é um novo mundo, nascido com um destino em comum? Eu acredito muito que a Doutrina Monroe se inspirou muito mais nesse instinto americano, considerando a palavra América no sentido continental, do que no medo do perigo relacionado a eles.

Nabuco se dá o trabalho de lembrar ao público que as nações da América Latina estão avançando firmemente e que não devem ser consideradas como países atrasados. Nesse ponto ele afirma que:

> Revoluções se tornaram mais raras na América Latina. Em regiões onde costumavam ser frequentes, já não são observa-

das há meio século; a área onde revoluções continuam ativas, com grandes intervalos entre elas, foi bastante reduzida; e mesmo nos locais onde revoluções ocorrem com frequência, o antigo estado anárquico deixou de existir, e a ordem é prontamente restabelecida.

Nabuco falou sobre o assunto em *Pensamentos soltos*, uma coletânea de pensamentos publicada primeiramente em 1904, em francês, sob o título de *Pensées Détachées e Souvenirs*:

> Qual escolher: a ordem ou a liberdade? Equivale a perguntar: qual é melhor, a árvore ou o fruto? Sem ordem não existiria liberdade porque esta, se não é fruto, é pelo menos a flor da ordem. Não nego porém que muitas espécies dessa planta nunca produzirão a liberdade. Há uma ordem estéril que esteriliza a planta, que alhures produz belíssimos frutos, não chega sequer a florescer.[18]

A ordem tão batalhada e conquistada com a *política dos governadores* na República brasileira parecia representar para Nabuco o solo fértil sobre o qual a liberdade poderia novamente florescer. A ordem, ou o *status quo* político no Brasil, que Nabuco havia finalmente aceitado, poderia ser protegida por uma nação como os Estados Unidos, que já tinham mais do que provado sua capacidade, segundo Nabuco, de produzir ordem (e portanto liberdade) no contexto de Cuba, por exemplo. A ordem era essencial para a existência da liberdade, mas não havia garantias de que uma coisa se seguiria à outra. O conceito de Nabuco a respeito da "ordem estéril" estava evidentemente mais relacionado com o tipo de governo autoritário que o Brasil havia testemunhado recentemente do que com a "assistência externa" que acontecera no estabelecimento de um novo governo em Cuba.

A chave para a manutenção da ordem e, portanto, para maior possibilidade da liberdade de se estabelecer, era ficar do lado dos

Estados Unidos. Em 1908, numa carta enviada a Rio Branco, Nabuco torna clara essa visão sobre a questão da intriga dos Estados Unidos no Japão, durante a Guerra do Pacífico:

> Se o povo americano se convencesse de que lhe desejamos mal, nossa integridade não valeria muito. Como podemos defender Fernando de Noronha melhor do que Colômbia ao Panamá? E a ação desse país, quando ressentido, como agora mostrou com o Japão, e ciclônica, vem de repente, sem que nada faça prever.[19]

A amizade com os Estados Unidos era a única opção válida para o Brasil, uma vez que perder esse vínculo poderia reduzir o Brasil a um estado de insegurança diplomática que nações hostis experimentavam regularmente. Uma das razões para tentar elevar o Brasil acima de outras nações menores da América Central era, por exemplo, para assegurar que ações "ciclônicas" não chegassem a suas próprias costas.

Mais adiante no discurso, Nabuco observa que:

> Alianças são transitórias, pouco flexíveis e cheias de riscos, enquanto acordos espontâneos sobre as mesmas linhas de ação são a evolução natural do destino de cada nação. As alianças pressupõem guerras; a livre cooperação pressupõe paz e ajuda mútua através de solidariedade e boa vontade.

Aqui, Nabuco aproveita mais uma oportunidade de negar que a meta do Brasil ao procurar estreitar os laços com os Estados Unidos seja buscar uma aliança militar. De acordo com Edward Bradford Burns, logo depois que Root assumiu o cargo em 1905, ele teria sugerido a Nabuco formar uma tríplice aliança entre Brasil, México e Estados Unidos, com vistas a forçar a Doutrina Monroe no continente.[20] Roosevelt também debateu o tema com Nabuco nos finais de 1905 e, no dia 12 de dezembro, Nabuco fez uma anotação em seu diário indicando a necessidade de buscar uma aliança tácita com os Estados Unidos.[21] Quando os argentinos souberam do andamento do diálogo sobre a aliança, pressionaram os Estados Unidos a divulgar uma declaração oficial, que parecem ter recebido durante a visita oficial de Root a Buenos Aires: ele negou ter feito qualquer tipo de referência à possibilidade de uma aliança com o Brasil.[22] Zeballos, o belicoso ministro das Relações Exteriores da Argentina na época, continuou preocupado com a questão, já que, supostamente, no ano seguinte, o Brasil teria se vangloriado de uma aliança militar com os Estados Unidos. Root mais uma vez negou a existência de tal aliança, e o mais provável é que Zeballos estivesse apenas reagindo exageradamente a sugestões feitas por Nabuco na época em que *amizade* com os Estados Unidos era semelhante a uma aliança militar, devido à segurança que tal amizade abarcava.

Os Estados Unidos pouco precisavam de uma aliança com o Brasil, uma vez que a simpatia parecia garantida. Ainda assim, o espectro de uma aliança permitia que tanto o Brasil quanto os Estados Unidos mantivessem a imprevisível Argentina bem comportada e também que os Estados Unidos, através da bajulação, conservassem acesa a chama do pan-americanismo no Brasil.

Para concluir, portanto, nesse discurso Nabuco deixa claro que seu principal papel como embaixador do Brasil junto aos Estados Unidos era o de promover o pan-americanismo. No discurso ele encoraja seu jovem público americano a deixar de lado a associação tradicional que se fazia a respeito de países latino-americanos como "ninhos de bandidos do pior tipo", nas palavras de Roosevelt.[23] Ele deixa espaço para a repercussão da leitura do discurso por brasileiros (seus discursos eram amplamente divulgados pela imprensa brasileira), mostrando o valor positivo do estreitamento das relações com os Estados Unidos, e esclarece o público em relação ao histórico de amizade entre os dois países (acima de outros países da América Latina). Mas é provável que o conselho mais útil e pungente dado aos formandos de 1908, que ecoa em nosso tempo, diga respeito à diversidade da raça humana e à necessidade de aceitar e comemorar o fato de que nem todos falam a mesma língua.

NOTAS

1 "The approach of the two Américas" (Convocation Address Before the University of Chicago, August 28, 1908).

2 João Frank da Costa, *Joaquim Nabuco e a política do Brasil*. Rio de Janeiro: Record, 1968, 49. A Doutrina Monroe, que data de 1823, mas recentemente revisitada pela política externa americana, afirmava que a América é para os americanos e que a Europa deveria ser desencorajada a estabelecer colônias no Novo Mundo.

3 Joaquim Nabuco, *Cartas a amigos II*. São Paulo: Instituto Progresso Editorial, 1949, 277–8.

4 Citado em Arinos de Melo Franco, *Rodrigues Alves: apogeu e declínio*, 249 e 283.

5 *Cartas a amigos II*, 202.

6 Ibid, 201.

7 Citado em Stanley Hilton, *Joaquim Nabuco e a civilização anglo-americana*. Rio de Janeiro: Instituto Brasil-Estados Unidos, 1949, 36.

8 *Cartas a amigos II*, 132.

9 Carolina Nabuco, *A vida de Joaquim Nabuco*. Rio de Janeiro: Cia. Editora Nacional, 1928, 439.

10 *Cartas a amigos II*, 179.

11 Ibid, 238.

12 *A vida de Joaquim Nabuco*, 447.

13 *Carta a amigos II*, 236.

14 Carta de Nabuco a Graça Aranha, 4/3/1907. Arquivo Joaquim Nabuco, doc A819.

15 Citado em A. Pearce Higgins, *The Hague Peace Conferences and Other International Conferences Concerning the Laws and Usages of War: Texts of Conventions with Commentaries*. Cambridge: Cambridge University Press, 1908, 515.

16 Joaquim Nabuco, *Minha formação*. Rio de Janeiro: Edições de Ouro, 1957, 139.

17 Joaquim Nabuco, *O Abolicionismo* {1883}. Traduzido para inglês por Robert Conrad como *Abolitionism: The Brazilian Anti-Slavery Struggle*. Chicago: University of Illinois Press, 1977, 3.

18 Joaquim Nabuco, *Pensamentos soltos*. São Paulo: Cia Editora Nacional, 1973, 335-6

19 *Carta a amigos II*, 300.

20 Edward Bradford Burns, *The Unwritten Alliance: Rio Branco and Brazilian-American Relations*. Columbia: University of Columbia Press, 1966, 142.

21 Ibid., 173.

22 Thomas F McGann, Argentina, *the United States and the Inter-American System 1880–1914*. Cambridge: University of Harvard Press, 1957, 254.

23 Citado em Walter Lafeber, *The Panama Canal: The Crisis in Perspectives*. Nova York: Oxford University Press, 1978, 55.

O POTE DE BARRO E A PANELA DE FERRO: A UTOPIA DE NABUCO PARA AS DUAS AMÉRICAS

João Almino

No último parágrafo de *Minha Formação*, publicado no ano de 1900, o diplomata e pensador político brasileiro Joaquim Nabuco, que fora um ilustre deputado em várias ocasiões, escreveu que havia se retirado da política. "Os últimos dez anos", diz ele, "são assim o período em que o interesse político cederá gradualmente o lugar ao interesse religioso e ao interesse literário, até ficar reduzido quase somente ao que tem de comum com eles... Posso portanto terminar aqui a história de minha formação política".[1] Em um capítulo anterior, ele já explicara que havia se distanciado da política partidária e que abraçaria o destino da nação independentemente da forma de governo.[2] No entanto, ficou claro que um dos motivos para seu afastamento da política pode ter sido o fato de ser um monarquista que testemunhara a queda da Monarquia. Afirma Nabuco: "A queda do Império pusera fim à minha carreira... A causa monarquista devia ser o meu último contato com a política... De 1889 a 1890 estou todo sob a impressão do 15 de novembro..."[3], que é a data da proclamação da República brasileira.

Nas décadas anteriores, ele se dedicara a uma causa que parecia ser a causa da sua vida: abolir de uma vez por todas a escravidão no Brasil.[4] Após a assinatura da chamada Lei Áurea de 1888, que libertou os escravos, ele deixou de ter uma grande causa pela qual lutar. E a proclamação da República no Brasil aconteceu no ano seguinte. Assim, em 1900, quando *Minha formação* foi publicado, essas eram razões suficientes para sentir-se afastado da política. Mas no ano anterior, 1899, ele havia aceitado um convite do presidente Campos Sales para defender o Brasil numa disputa de fronteira com a Guiana Inglesa, que seria resolvida por arbitragem pelo rei Vítor Emanuel da Itália, e exatamente em 1900 ele ocuparia um cargo público como chefe da legação brasileira em Londres.

Para Nabuco não havia nenhuma contradição entre ter-se retirado da política e ocupar um cargo governamental como diplomata. Apesar de ser um liberal, em 1876 ele aceitara o convite de um governo conservador para adido de legação nos Estados Unidos, o primeiro cargo público de sua carreira. Mais tarde escreveria que "os cargos públicos não são monopólio do partido que está no poder e devem ser confiados a quem melhor os pode desempenhar" e que foram "a indiferença política em que me achava" e sua "predisposição literária" que o levaram a entrar para a diplomacia.[5] Essa foi a única missão diplomática de Nabuco antes de 1899-1900.

Numa carta ao ministro das Relações Exteriores Olinto de Magalhães, na qual confirma sua aceitação do convite do presidente Campos Sales, ele explica que iria servir a uma causa de caráter puramente nacional, e que estaria traindo uma nobre tradição se alegasse uma divergência política que o próprio governo republicano tivera o gesto digno de superar.[6]

Somente alguns anos depois, em 1905, o ministro das Relações Exteriores, o barão do Rio Branco, outro monarquista que se abstinha de envolvimento com a política partidária, e até mesmo com a política interna, preferindo concentrar-se nos interesses nacionais, e que ficara conhecido, como o próprio Nabuco, por liderar as negociações sobre algumas fronteiras nacionais, nomeou Nabuco o primeiro embaixador brasileiro nos Estados Unidos. Sobre Rio Branco, Nabuco diria em Yale que o fato de ter sido ministro do Exterior do governo Rodrigues Alves e continuar no governo Penna "mostra que o país retirou sua política externa da esfera política ou partidária, a partir do momento que encontrou um homem que pudesse ser identificado exclusivamente com a ideia de país".[7]

Quando chegou a Washington, Joaquim Nabuco era respeitado não somente como diplomata, mas também como eminente pensador. Em ambas capacidades, visitou a Universidade de Yale em 1908, quando proferiu seus discursos sobre "O Espírito da Nacionalidade na História do Brasil" e sobre o poeta português Luis Vaz de Camões, que fora o tema de seu primeiro livro, *Camões e os Lusíadas*, publicado em 1872. Suas conferências de 1909 no Vassar College e em Cornell também seriam dedicadas a Camões e os *Lusíadas*.[8] Entre outras atividades universitárias, em 28 de agosto de 1908 proferiu um discurso de abertura do ano letivo na Universidade de Chicago intitulado "A Aproximação das Duas Américas". Menos de um ano depois, em 20 de junho de 1909, e apenas alguns meses antes de sua morte em Washington em janeiro de 1910, aos 60 anos, estava programado para voltar à mesma região a fim de proferir um discurso de formatura na Universidade de Wisconsin, em Madison, intitulado "A Participação da América na Civilização".

Para Nabuco, essas conferências eram importantes. Em 8 de junho de 1908, escreveu para o eminente autor brasileiro Machado de Assis:

> Estou lhe enviando duas amostras dos discursos que tenho proferido, uma delas para a nossa Academia. Você verá com prazer que me tornei aqui um publicista para os *Lusíadas* (...) Receberei este ano o título de doutor em letras pela Universidade de Yale, e a Universidade de Chicago convidou-me para pronunciar o discurso oficial da colação de grau, o que é uma grande honra (...) Comprometi-me também a pronunciar no ano que vem o discurso oficial, em um dos grandes dias da Universidade de Wisconsin, e um convite de outra universidade já me foi anunciado. Fico muito contente pelo

> Brasil com todas essas honras, que são prestadas principalmente ao país.[9]

E em outra carta a Machado, em 1º de agosto de 1908:

> Muito obrigado por suas boas palavras sobre minhas conferências em Yale. Em 28 de agosto estarei em Chicago, como lhe disse. Levo aqui a vida de um peregrino, de universidade em universidade.[10]

E as viagens não eram tão confortáveis, como podemos deduzir de sua carta a Machado de 3 de setembro de 1908:

> Estou de volta de Chicago, aonde fui para pronunciar o discurso que lhe mencionei anteriormente. Para dizer apenas poucas palavras, uma pequena viagem de ida e volta de quase 60 horas! E o pior de tudo é que tenho outras viagens tão longas como essa à minha espera.[11]

Aqui certamente referindo-se à conferencia que daria em Madison. Expressando uma queixa semelhante à percepção contemporânea de que a América Latina tem sido negligenciada, em seu discurso de 1908 na Universidade de Chicago, ele reclama de uma certa distância entre as duas Américas, que permanecem desconhecidas uma à outra. Mas não culpa somente os Estados Unidos por isso. Afirma que "muitos espíritos na América Latina tiveram medo, durante muito tempo, de um contato muito próximo com vocês, devido à grande diferença de poder", uma declaração que ainda pode ser ouvida hoje. Outro componente dessa distância sublinhada por Nabuco também ecoa até os dias de hoje: os Estados Unidos, sendo um mundo por si só, seriam indiferentes ao que acontece na América Latina.

Ele acredita que essa situação irá mudar. Segundo ele, a suspeita está dando lugar à confiança. A esse respeito, vê as universidades desempenhando um papel muito especial na realização de políticas que podem levar a um melhor entendimento entre as duas Américas: "se as universidades adotarem a política do secretário Root", ele diz, "a indiferença, por sua vez, dará lugar ao sentimento de parentesco continental".[12]

De acordo com Nabuco, o Brasil tem sido uma exceção, embora quando menciona o "Brasil" não esteja se referindo ao povo brasileiro ou à opinião pública brasileira, mas sim à sua classe política. "No Brasil", diz, "os maiores estadistas nunca temeram se associar a esse país". Para ilustrar esse ponto, dá o exemplo da reação oficial brasileira à Doutrina Monroe, que advertia as potências europeias para que não interferissem nos assuntos do hemisfério ocidental: "Assim que a mensagem do presidente Monroe, de dezembro de 1823, foi recebida no Rio de Janeiro, o governo brasileiro propôs aos Estados Unidos uma aliança ofensiva e defensiva", que não foi assinada devido à falta de interesse por parte dos Estados Unidos.[13]

Ele discorda que a relação dos países latino-americanos com os Estados Unidos lembre, como dizem, a amizade do pote de barro com a panela de ferro, na fábula de La Fontaine intitulada, justamente, "O pote de barro e a panela de ferro". Na tradução de Mário Laranjeira, a fábula diz o seguinte:

> O pote de ferro propôs
> Ao pote de barro um passeio.

> O pote de ferro o tranquiliza, dizendo que o protegerá:

> Se alguma coisa mais dura
> O ameaçar porventura,
> Entre os dois eu passarei,
> E da pancada o salvarei.

Mas o resultado foi desastroso, como revelam os versos seguintes:

...
Sofre o pote de barro; ele mal dera uns passos
Que por seu companheiro era feito em pedaços,
Sem que nem se queixar pudesse.

E eis a moral da história:

Juntemo-nos com quem conosco se parece,
Ou estaremos ameaçados
Com a sina dos potes quebrados.[14]

Desde os tempos de Nabuco, testemunhamos revoluções e guerras civis na América Latina, além de intervenções norte-americanas não muito bem-vindas na região, que pareceriam exemplificar o sentido dessa fábula. Mas a percepção de Nabuco é diferente. Apenas alguns anos antes da revolução mexicana, ele declara o fim das instabilidades e das ameaças revolucionárias na América Latina. Ele vê em suas repúblicas uma coesão nacional indestrutível e uma total ausência de ameaças a suas nacionalidades: "Vocês, com sua alta civilização", afirma, "não podem fazer mal a nenhuma nação. O contato íntimo com vocês, portanto, em quaisquer condições, só traz o bem e o progresso à outra parte".[15]

Devemos destacar aqui as palavras "com sua alta civilização". É essa "alta civilização", junto à coesão nacional dos países latino-americanos, que justifica a falta de temor e até uma certa simpatia por uma possível "americanização" da América Latina. "O único efeito certo que consigo enxergar de um relacionamento íntimo e permanente da América Latina com vocês", afirma, "é que ela seria lentamente americanizada".[16] Ao definir o significado dessa americanização, ele só vê boas influências: os países latino-americanos absorveriam otimismo, autoconfiança e energia.

No discurso de Chicago sobre as duas Américas, ele menciona que a absorção do outro "eu"– os Estados Unidos – por parte da América Latina não seria completa, devido a algumas diferenças fundamentais. Existe, por exemplo, uma diferença de ritmo e velocidade. No discurso de Wisconsin sobre as contribuições da América à civilização, ele observará posteriormente que "vocês mudaram o ritmo da vida, escrevendo no tempo rápido; o mundo agora está aprendendo com vocês o espírito da transformação rápida, e também está escrevendo no *prestissimo* americano ao invés do velho *adágio*".[17] Como afirmara em Chicago, a América Latina não alcançaria a velocidade e o ritmo dos Estados Unidos, nem desejaria fazê-lo. Ele concordaria com aqueles que até hoje se opõem ao estilo de vida agitado dos norte-americanos, em favor de um jeito de viver mais relaxado nos países latino-americanos. Para a América Latina, "*festina lente* [expressão latina que significa "apressa-te devagar"] é", segundo ele, "a regra da saúde e estabilidade". Para Nabuco, o ritmo lento não é um mal: "a dignidade da vida, a cultura, a felicidade, a liberdade, podem ser usufruídas pelas nações que caminham lentamente", diz ele, "desde que caminhem com constância para frente".[18]

Nos discursos de Nabuco – e talvez o mesmo possa ser dito sobre o seu pensamento em geral – encontramos um equilíbrio entre a avaliação realista das condições sociais e políticas e uma visão idealista ou utópica, que orienta o seu raciocínio. O idealismo, a propósito, é tido em alta estima por ele. Em sua conferência de Yale sobre "O espírito da nacionalidade na história do Brasil", afirmará que "se me perguntarem qual é a principal característica nacional do Brasil, direi certamente que é o idealismo".[19]

Uma parte significativa do argumento central de Nabuco em seu discurso de Chicago é formulada em resposta à seguinte pergunta: que benefícios extrairiam os Estados Unidos de uma relação com a América Latina? "Eu lhes direi francamente que esses benefícios seriam, inicialmente, apenas os benefícios que advêm de fazer amigos", responde Nabuco, e então acrescenta: "mas acredito que não há benefício mais substancial do que esse para uma nação que é líder do continente".[20]

A ideia é bastante simples: "fazer amigos". Mas envolve uma série de conceitos. Em primeiro lugar, sugere que não se deve agir somente com base no interesse próprio, e que as relações não deveriam basear-se apenas na segurança ou em interesses econômicos. Nabuco faz uma distinção entre uma política externa temporária e permanente. A primeira é perigosa, enquanto a segunda é segura. No primeiro caso, "uma nação garante ajuda pensando somente em si mesma", usando "outra nação como instrumento próprio", enquanto no segundo caso "uma nação tenta realizar junto com outra um destino comum". O primeiro tipo de política é resultado de um interesse egoísta; o segundo, de amizade. Os conceitos de Nabuco poderiam ser rastreados em *Dois Tratados sobre o Governo*, de Locke: ele afirma que enquanto a política externa temporária precisa ter a forma de uma aliança escrita, que pressupõe a guerra, a política externa permanente é a expressão de um desdobramento natural do destino de cada nação e assume a forma de uma "cooperação livre", que pressupõe a paz e o apoio mútuo.[21] Ele sem dúvida está certo ao destacar que as políticas duradouras baseiam-se no propósito comum e no respeito mútuo.

"A questão é saber", diz ele, "se vocês resolveram que esse continente deva ser para cada uma de suas nações um prolongamento de seu solo nativo; que algum tipo de vínculo deva fazer dele uma unidade moral na história".[22]

Essa ainda é uma questão fundamental numa época em que os Estados Unidos enfrentam novos dilemas. Hoje em dia, na América Latina, tanto os que admiram quanto os que temem os EUA geralmente veem a relação entre as duas Américas como sendo, acima de tudo, de natureza comercial. Isso explica a importância adquirida pelo debate em torno da ALCA e dos acordos bilaterais de livre comércio. Nos EUA, as percepções sobre as oportunidades e desvantagens da relação entre as duas Américas também estão ligadas basicamente ao comércio, opondo aqueles que buscam uma expansão dos mercados àqueles que temem uma perda de empregos. O comércio é um instrumento precioso para a criação de riqueza e para fomentar a amizade, mas Nabuco estava pintando um quadro bem mais amplo da relação entre as duas Américas, usando a Doutrina Monroe e as conferências pan-americanas como pontos de referência.

Muitos na América Latina não partilhariam sua convicção de que a Doutrina Monroe não foi inspirada apenas pelo temor de ver a Europa estender seu raio de influência sobre os países das Américas, como faria posteriormente sobre a África, ou pelo interesse dos EUA em criar sua própria zona de influência direta. Ele lê nessa doutrina um profundo instinto hemisférico, uma intuição de que o novo mundo nasceu com um destino comum,[23] e é por isso, segundo ele, que deve ser considerada um aspecto estável da política externa americana.

Nabuco considera as conferências pan-americanas, que aconteciam de quatro em quatro anos, um ótimo novo começo que precisa ter seu escopo ampliado. Ele vê uma continuidade na busca de um objetivo comum nas Américas, de Monroe a Cleveland e Roosevelt, de Clay a Blaine e ao então secretário de Estado Root, que faria uma visita oficial à América Latina. Num certo sentido, suas impressões foram posteriormente confirmadas pela criação da OEA.

Mas sua suspeita também estava certa. A OEA não possui mais o mesmo apelo do passado; embora talvez ainda ajude a conter crises no continente, muitos consideram que a organização não passa de um fórum de discussão; como tal, possui méritos inegáveis, mas o fato é que perdeu a importância política que tinha e nunca chegou a adquirir a relevância econômica e social que muitos esperavam que viesse a ter. E, fundamentalmente, nunca houve uma tentativa de criar uma verdadeira comunidade hemisférica ou uma comunidade de interesses entre iguais, como Nabuco imaginou. Os esforços coletivos, quando existiam, se concentravam no comércio ou na segurança, nunca no desenvolvimento da região como um todo.

Apesar de alguns avanços, devemos dizer, para concluir, que nas Américas ainda estamos longe da utopia de Nabuco. A Europa sem dúvida chegou mais perto de constituir uma unidade moral do que as Américas. Existe um propósito conjunto e a busca de uma nova identidade comum; existe um caminho comum inaugurado pelo Tratado de Roma, tentando criar uma comunidade entre iguais, apesar da liderança inconteste de alguns países; existe um desejo genuíno de desenvolver a região como um todo. Os chamados fundos de coesão já beneficiaram Grécia, Portugal, Espanha, Chipre, República Checa, Estônia, Hungria, Letônia, Lituânia, Malta, Polônia, Eslováquia e Eslovênia, e tiveram um impacto deveras significativo no desenvolvimento desses países. As tentativas feitas na América nunca alcançaram esse nível de ambição, não só por uma falta de vontade por parte dos EUA, mas provavelmente também por causa do poder desproporcional desse país em relação aos outros do continente, o que despertou neles a suspeita de que poderiam ser apenas, para usar a imagem que Nabuco tomou emprestada de La Fontaine, um pote de barro que poderia facilmente se quebrar ao lado da panela de ferro. A tarefa será mais fácil quando, assim como na Europa, houver um melhor equilíbrio entre dois, três ou quatro polos de poder no continente, um deles sendo possivelmente a própria América do Sul como um todo. E é por essa razão que o objetivo da integração hemisférica não contradiz o de uma integração regional limitada: uma é, na verdade, um pré-requisito para o sucesso da outra.

A utopia de Nabuco, porém, vai além das negociações diplomáticas entre governos. Ele afirma que "os congressos com delegados oficiais não abordam os pontos delicados, que costumam ser escondidos do público. As conferências pan-americanas são assembleias diplomáticas; as pessoas não se reúnem ali para contar seus erros umas às outras...; a questão do progresso interno de uma comunidade não é uma questão na qual a diplomacia poderia ajudar abertamente".[24] É por isso que ele imagina algo que, mesmo com o advento da televisão e da internet, ainda não se concretizou: a opinião pública pan-americana, que ele considera um motor de transformação que irá polir até a perfeição as instituições políticas de todos os países do hemisfério. Segundo ele, é pela força da opinião mundial que o princípio parlamentar foi mais ou menos reconhecido pelas velhas monarquias absolutistas: Rússia, Japão, Pérsia e Turquia. O progresso dessa opinião tornará obsoleto, como outro exemplo de sua eficácia, o direito de asilo. A premissa é que o asilo não será mais necessário quando o sistema judiciário funcionar bem em todos os países. "Esse 'direito' somente foi substituído no mundo pelo progresso da justiça", diz ele, acrescentando a seguir: "e somente poderá ser suprimido aumentando-se a proteção da lei e o senso de justiça".[25]

De acordo com ele, uma opinião pública americana comum começa com a "liberdade inviolada da imprensa" e tem como seus principais agentes a própria imprensa e o livro. "Quando essa opinião estiver plenamente constituída", acrescenta Nabuco, haverá imunidade "não só da conquista estrangeira, mas também do controle arbitrário e da suspensão da liberdade pública e individual".[26] Seria, portanto, a base de um sistema democrático.

Um elemento crucial do pensamento de Nabuco é que essa perfeição institucional não se baseia na uniformidade, mas na diversidade. Ele chega mesmo a advertir contra o perigo da uniformidade, ao chamar atenção para o fato de que "o mundo estaria muito próximo do fim se todos os países falassem a mesma língua".[27] Não pede, portanto, que os EUA imponham seus princípios políticos ao continente. Pelo contrário, seu raciocínio sugere que ele espera que esse progresso político seja o resultado de processos internos e de uma compreensão e respeito mútuos entre as nações. "Em primeiro lugar", diz ele, deveríamos aprender a tolerar a diversidade na raça humana".[28]

Uma das artes da política internacional é alcançar o justo equilíbrio entre os princípios universais e o respeito pela natureza peculiar de cada país. A adoção de princípios democráticos e a preocupação com o desenvolvimento e o progresso social são hoje amplamente disseminadas nas Américas, e essa é a plataforma comum para nossa cooperação hemisférica. A utopia de Nabuco inclui a disseminação da contribuição norte-americana para a civilização em todo o continente e além dela, em termos de paz, democracia, igualdade, direitos das mulheres, educação e imigração, uma lista à qual poderíamos acrescentar hoje as grandes conquistas da ciência e da tecnologia. De fato, a América Latina fez grandes avanços em todas essas áreas. Comparado com experiências anteriores, o hemisfério está relativamente estável, uma situação que Nabuco acreditou erroneamente que pudesse se aplicar à sua época. Apesar de alguns problemas políticos persistentes e localizados e algumas crises esporádicas, a América do Sul, em particular, pode ser considerada uma das regiões mais pacíficas do mundo. Também tem aumentado sua presença no cenário mundial, graças à qualidade de sua diplomacia, suas contribuições ao direito internacional, sua grande riqueza cultural e sua tradição de tolerância. As duas Américas, portanto, estão em melhores condições hoje do que há cem anos para perseguir alguns dos objetivos que Nabuco imaginou para elas. Cem anos depois das palavras proferidas por ele, elas ainda podem inspirar nossos sonhos – e não esqueçamos que são os sonhos que nos fazem seguir em frente.

NOTAS

1 *Minha formação*, Rio de Janeiro: Topbooks, 1999, 219.

2 Diz ele: "... e como liberal a aspiração sintética de minha vida tinha que ser a de não me dissociar, qualquer que fosse sua forma de governo, dos destinos do meu país. / Assim, mesmo como monarquista, me fui pouco a pouco distanciando da política. Meu espírito cristalizara sob faces que o fariam sempre rejeitar como antipolítico...", ibid, 218.

3 Ibid., 216.

4 "Em 1879 eu me alistara para uma campanha que supunha havia de durar além de minha vida; fiz assim, posso dizer, voto perpétuo de servir uma grande causa nacional: o que devia durar mais de trinta anos, durou somente nove". Ibid., 218.

5 Ibid., Capítulo IX, "Adido de legação".

6 Arinos, filho, Afonso. Conferência na Academia Brasileira de Letras, 23 de março de 2004.

7 Nabuco, Joaquim. "The Spirit of Nationality in the History of Brazil": discurso proferido para o Spanish Club da Universidade de Yale, em 15 de maio de 1908, 12.

8 "The place of Camoens in the literature": discurso proferido para estudantes da Universidade de Yale em 14 de maio de 1908; "The spirit of nationality in the history of Brazil": discurso proferido para o Spanish Club da Universidade de Yale, em 15 de maio de 1908; "Camoens: the lyric poet": discurso no Vassar College em 21 de abril de 1909; "The Lusiads as the Epic of Love": discurso na Universidade de Cornell em 23 de abril de 1909.

9 Graça Aranha. *Machado de Assis e Joaquim Nabuco*, 2ª ed., Rio de Janeiro: F. Briguiet & Cia. 1942, 167 e 168.

10 Ibid., 170 e 171.

11 Ibid., 173.

12 Nabuco, Joaquim. "The Approach of the Two Americas", Universidade de Chicago, op.cit., 4.

13 Ibid., 4.

14 La Fontaine, "Fábulas de La Fontaine", São Paulo: Estação Liberdade, 2004.

15 Ibid., 5.

16 Ibid., 5.

17 Nabuco, Joaquim, "The Share of America in Civilization", Universidade de Wisconsin em Madison, op. cit., 63.

18 Nabuco, Joaquim, "The Approach of the Two Americas", Universidade de Chicago, op. cit., 5 e 6.

19 Nabuco, Joaquim, "The Spirit of Nationality in the History of Brazil", 11.

20 Nabuco, Joaquim, "The Approach of the Two Americas", Universidade de Chicago, op. cit., 7.

21 Ibid., 8 e 9.

22 Ibid., 7 e 8.

23 Ibid., 8.

24 Ibid., 10 e 11.

25 Ibid., 12.

26 Ibid., 12 e 13.

27 Ibid., 13.

28 Ibid., 13.

BIBLIOGRAFIA

ARINOS, filho, Afonso. Conferência na Academia Brasileira de Letras, 23 de março de 2004.

Brasil: 500 anos de povoamento. Rio de Janeiro: IBGE, 2000. Apêndice: Estatísticas de 500 anos de povoamento, 226.

BURNS, E. Bradford. *The Unwritten Alliance: Rio Branco and Brazilian-American Relations.* New York: Columbia University Press, 1966.

LA FONTAINE, Jean de. "The Pot of Clay and the Pot of Iron". Translation by Eunice Clark.

NABUCO, Joaquim. *Minha formação,* 1ª ed.: Rio de Janeiro-Paris: Garnier, 1900.

_____. "The Spirit of Nationality in the History of Brazil", palestra proferida no Spanish Club da Universidade de Yale em 15 de maio de 1908, 12.

_____. "The place of Camoens in the literature", palestra proferida aos alunos da Universidade de Yale em 14 de maio de 1908.

_____. "Camoens: the lyric poet": discurso no Vassar College em 21 de abril de 1909.

_____. "The Lusiads as the Epic of Love", palestra proferida na Universidade de Cornell em 23 de abril de 1909.

_____. "The Share of America in Civilization", "Baccalaureate address" (discurso de formatura), Universidade de Wisconsin em Madison, em 20 de junho de 1909. In: *The American Historical Review,* Vol. 15, nº 1 (out. 1909), 63.

_____. "The Approach of the Two Americas", discurso de abertura do ano letivo na Universidade de Chicago, em 28 de agosto de 1908, publicado pela American Branch Association for International Conciliation. Nova York, setembro de 1908, nº 10, 3.

U.S. Census Bureau, Population Division. Campbell Gibson & Emily Lennon, 2001.

II : *Um liberalismo multifacetado*

JOAQUIM NABUCO: DA ABOLIÇÃO À DIPLOMACIA, UM LIBERALISMO MULTIFACETADO

Marco Aurélio Nogueira

QUASE CEM ANOS DEPOIS DE SUA MORTE – ocorrida em janeiro de 1910, quando era embaixador brasileiro nos Estados Unidos –, Joaquim Nabuco continua a despertar interesse, intrigar e fascinar. Como compreender isso?

Quem foi exatamente ele, como político, diplomata, intelectual e pessoa? Que dimensão de sua complexa e sinuosa biografia deve ser tomada como base para um diálogo teórico com aquilo que pensou, escreveu e realizou? Que papel efetivo desempenhou na história brasileira, que legado nos deixou?

Agitador e ideólogo abolicionista, deputado liberal monarquista, diplomata pan-americanista, Nabuco equilibrou-se sobre múltiplas pernas, cumprindo distintas tarefas e abraçando causas aparentemente contraditórias. Ainda em vida, deu margem a interpretações conflitantes de sua trajetória e de suas escolhas. Foi visto como "incendiário" na campanha pela abolição, como reacionário pelos republicanos empolgados com o golpe de 15 de Novembro, como europeísta e aristocrata – um inglês em terras tropicais – e como porta-voz ingênuo dos interesses estratégicos dos Estados Unidos, um "pan-americanista do Norte", na frase cortante de Oliveira Lima. Depois da morte, e sobretudo mais tarde, com a expansão das pesquisas acadêmicas dedicadas à sua contribuição, as águas continuaram turbulentas, ainda que embaladas por uma mesma onda forte de respeito e admiração.

Com quantos Nabucos temos de lidar? Como compreendê-los e unificá-los? Com qual Nabuco devemos dialogar?

Antes de tudo, convém começar reconhecendo que o caráter multifacetado do personagem reflete bem as circunstâncias em que atuou, bem como a qualidade dos roteiros a que se submeteu. Poder-se-ia dizer que a realidade social concreta foi ela mesma sinuosa, arrastando consigo muitas personalidades e impondo a elas agendas desprovidas de lógica ou concatenação. Em sua racionalidade, a história desafiava os atores, forçando-os a realizar manobras de risco, a fazer opções inesperadas, a mudar de campo e posição como que em busca de um eixo de sustentação.

O próprio percurso político e intelectual de Nabuco confirma essa impressão. Não há como captar de um só golpe a surpreendente evolução daquele aristocrata refinado que, de um quase republicanismo na adolescência, passou sem vacilações para o monarquismo parlamentar, tornou-se abolicionista militante nos anos 1880, depois federalista, releu em termos conservadores seu próprio liberalismo após a queda da Monarquia, reencontrou-se com a religião para então se proclamar pan-americanista, num ziguezague que ele próprio sempre procurou justificar.

Nabuco parece ter-se incomodado com a transição que marcou sua vida e o levou do "politeísmo da mocidade" para a "volta misteriosa e indefinível da fé" nos anos 1890, como ele escreveu em *Minha formação* (MF)[1]. Esforçou-se para entender e explicar a conversão do seu liberalismo social da década abolicionista no liberalismo conservador do período posterior à queda da Monarquia, a flutuação constante entre o cosmopolitismo mundano e o engajamento nacional, a dúvida entre a literatura e a política. Passou a vida tentando justificar a sinuosidade de sua evolução.

Nabuco foi um cidadão do mundo, encantado com a dimensão universal da aventura humana. Viveu muito mais próximo das agitações do espírito e da imaginação do que da prosaica rotina política ou administrativa. Cresceu como um dândi, com presença ativa nos salões da Corte brasileira. Num certo trecho da estrada, envolveu-se com a política. Dedicou-se a ela, porém, de modo contido, estilizado e passional, como se quisesse neutralizar a face mais diabólica do poder e deixar claro seu desinteresse pelo jogo político miúdo, frio e calculista. Amadureceu no interior da luta abolicionista, na qual ocupou lugar de destaque com um liberalismo combativo, disposto a descer às catacumbas sociais para interpelar as senzalas e reformar a sociedade. Ficou desorientado com a derrocada da Monarquia em 1889, quando então, aos 40 anos, hibernou por uma década para tentar encontrar um eixo com que se relançar na vida pública. Encontrou-o na diplomacia.

Paralelamente a essas inflexões, Nabuco foi um escritor talentoso, de estilo envolvente, autor de livros, artigos e ensaios indispensáveis para que se compreenda a formação social brasileira. Sua obra não saiu de cena ao longo do século XX e chega ao século XXI com potência suficiente para dialogar com os analistas interessados em entender o processo que levou o Brasil à modernidade.

Nabuco nos surpreende, intriga e confunde, em segundo lugar, porque sua biografia, sua obra e seu percurso espelharam a história brasileira em um de seus mais emblemáticos momentos: o efervescente período de 1870 a 1910, com seu entrecruzamento de desenvolvimento e crise, mudança e "revolução", no qual foram se sucedendo e se combinando a decomposição da ordem colonial, a passagem para a República, a substituição da preponderância inglesa pela norte-americana, os novos tipos sociais que se constituíam nas cidades que cresciam e se agitavam. Aquela foi uma época em que o Brasil disputou uma partida na qual estava em jogo seu destino na história universal. As seis décadas de vida de Nabuco (1849–1910) não chegaram a produzir tudo o que anunciaram, mas foram anos repletos de promessas e possibilidades. Anos movimentados, que contaminaram e excitaram todos os que pretenderam, de algum modo, neles se inserir como protagonistas, em maior ou menor grau.

Ao longo dessa trajetória, as convicções e os engajamentos de Nabuco se alteraram, assim como suas ênfases e opções, a tal ponto que o primeiro impulso do historiador é constatar a existência de mais de um Nabuco, quase uma personalidade dividida, composta por *personas* antagônicas ou ao menos distintas entre si. Na sua tradução mais fácil e conhecida, tal impulso tem levado à contraposição do Nabuco "radical" da campanha abolicionista – vibrante, empolgante, capaz de levantar multidões com discursos arrebatadores – ao Nabuco diplomata da maturidade, mais um conservador que um liberal, limitado a esperar o fim da vida com intervenções mais seletivas e menos passionais, ainda que não menos destacadas.

Sem desmerecer o caráter persuasivo e a função explicativa desta perspectiva de análise, que se apoia em fatos e inflexões inscritas na biografia do personagem, gostaria de sustentar, no presente texto, uma distinta linha de argumentação.[2] Minha hipótese é que a personalidade multifacetada de Nabuco jamais esteve solta no ar, desamarrada ou arrastada às cegas pelas circunstâncias históricas e por seus dilemas pessoais. Ela refletiu por certo tais circunstâncias e tais dilemas, mas sempre esteve animada por um mesmo tipo de relação com o mundo e por uma mesma concepção ideal, que deram unidade e articulação à sua biografia.

Tratou-se sempre de um mesmo e único personagem, portador de um liberalismo suficientemente elástico para acompanhar as mudanças históricas. Se houve radicalismo na primeira fase e conservadorismo na última, isso se deveu em boa medida ao próprio padrão do liberalismo brasileiro, aos ritmos do processo social e aos novos desafios que se impuseram aos intelectuais e políticos do país.

Em um primeiro momento (1870–1890), tratava-se de dar direção a uma onda reformadora que crescia a partir do problema escravo e poderia ameaçar a construção do Estado Nacional, fato que se confundia com a defesa da Monarquia. Mais tarde, com a República instalada, tratava-se de organizar o novo regime e de inserir o país num mundo que mudava em termos de relações internacionais e ingressava em nova etapa do capitalismo. Também aí, para Nabuco, a questão era o Estado Nacional. Se na primeira fase a unidade nacional dependia da defesa de um sistema de governo (a Monarquia parlamentar), na segunda ela passa a ter valor em si, independentemente de regimes, partidos e governantes, um *telos* absorvente, sem o qual o futuro se comprometeria. Se, nos anos abolicionistas, o liberalismo foi convocado para honrar seus compromissos reformadores humanistas, no final da vida ele apareceria como alicerce moral de um Estado capaz de defender o território e a soberania para um povo-nação em constituição.

Neste sentido, dialogarei bastante com a hipótese desenvolvida por Ricardo Salles, que, na busca da "organicidade de Nabuco", o verá como um intelectual tradicional (Gramsci), "portador de certa autonomia em relação às classes sociais e de uma continuidade histórica". Equilibrando-se sobre os temas da cidadania, da soberania, da reforma social e da centralidade do governo na condução do país, Nabuco os articulará em torno da "questão da nação", inserindo-se na problemática liberal e democrática do final do século XIX. (SALLES, 2002: 23). O "equilíbrio" de Nabuco – ou seja, seu esforço para manter unidos o intelectual e o político – ficará perfeitamente explicitado nas duas grandes causas em que se empenhou ao longo da vida: a abolição da escravatura e a união pan-americana.

I : INTELECTUALISMO E PRAGMATISMO

No agitado, dinâmico e paradoxal teatro do período 1870–1910, Nabuco evoluiu protegido por um tecido em que se entrelaçavam intelectualismo estetizante e realismo pragmático, visão ético-moralizante e engajamento político.

A permanente tensão entre ética e política que se nota em sua trajetória derivou da própria antropologia de Nabuco, isto é, de sua concepção de homem. Ele observou em *Minha formação*: "Cada um de nós é só o raio estético que há no interior do seu pensamento, e, enquanto não se conhece a natureza desse raio, não se tem ideia do que o homem realmente é". (MF, 27). Esta "mola estética" prevaleceu sempre sobre todas as demais molas do mecanismo político e intelectual de Nabuco. Foi ela – ou seja, a imaginação, a fantasia, a beleza da invenção, a harmonia, a coerência, a frase adequada, o estilo – que orientou suas escolhas e definiu seu caráter, embasando seja o seu parlamentarismo à inglesa, seja o seu patriotismo cosmopolita. Foi esta mola, enfim, que lhe possibilitou enfrentar o dilema comum aos intelectuais da época: como conciliar sentimento e imaginação, como ser cosmopolita, universal, humano, e se inserir ativamente na vida nacional, com seu provincianismo tedioso?

No justamente famoso capítulo IV de *Minha formação*, não por acaso intitulado "Atração do mundo", Nabuco dirá que a dificuldade daquela conciliação nos condenava "à mais terrível das instabilidades". Quando em terra americana, a "perspectiva humana" não se encontrava com a paisagem, com a vida ou com a arquitetura, ao passo que o americano, na Europa, ressentia-se da falta da pátria. "De um lado do mar sente-se a ausência do mundo; do outro, a ausência do país". (MF, 26). Tal dificuldade de conciliação acabaria por impor um desfecho:

> Quando, porém, entre a pátria, que é o sentimento, e o mundo, que é o pensamento, vi que a imaginação podia quebrar a estreita fôrma em que estavam a cozer ao sol tropical os meus pequenos debuxos de almas, deixei ir a Europa, a história, a arte, guardando do que é universal só a religião e as letras (MF, 28).

Nabuco reformulou assim parte importante das próprias convicções, atenuando o molde europeu de sua formação e acentuando sua inaptidão para a política cotidiana, miúda, rotineira.

A política prática estava em contradição com a postura espiritual cosmopolita ou, antes, mundana, que se caracterizaria "pela compreensão das soluções opostas dos mesmos problemas sociais, pela tolerância de todas as opiniões, pela igual familiaridade com correligionários e adversários, pela ideia, para dizer tudo, de que acima de quaisquer partidos está *a boa sociedade*". Não se tratava de excluir ou rejeitar a política, mas de pensá-la e praticá-la a partir de outro ponto de vista que, sem ser necessariamente eclético, ou cético, seria "incompatível com o fanatismo, isto é, com a intolerância, qualquer que seja ela". Nabuco, por isso, colocou-se sempre "em um terreno politicamente neutro" (MF, 30), fora e acima de partidos, de emoções tópicas e passageiras. Suas afinidades políticas mantiveram-se vivas, mas em posição secundária, "subordinadas à atração puramente intelectual" (MF, 33), protegidas por uma "imaginação europeia" suficientemente espessa para resistir "à política local, a ideias, preconceitos e paixões de partido, isoladora de tudo o que não pertencesse à estética" (MF, 51).

Foi intelectualista e estetizante o engajamento de Nabuco na luta contra a escravidão. A presença dos escravos o incomodava não somente porque representava um entrave ao progresso material do país e era um fator de perturbação e rebaixamento da Monarquia, mas porque era infamante e ultrajante, colidia com as razões maiores da humanidade, relegava os brasileiros ao lixo da história e impedia sua afirmação como povo, sua cidadania e sua capacidade de autodeterminação. Tratava-se de um "problema moral", que por isso teria de ser enfrentado num terreno fortemente impregnado de parâmetros éticos e morais. Dar-se-ia o mesmo com o pan-americanismo, causa a que Nabuco se entregou no final da vida.

Na verdade, Nabuco quis fazer política sem ser político, abraçando bandeiras capazes de empolgá-lo, de eliminar o que a política tinha de "emoção partidária, incerta, negativa, de temor de edificar desconfiado da solidez dos materiais e do terreno" e de reter somente o que anunciasse "as auroras da verdade e da consciência sobre o mundo" (MF, 113). Recusou-se a ser "nominalista" em política, seguindo somente a "compaixão concreta pela sorte do povo" (E&D, 59).

Nabuco acreditou que em todas as suas grandes emoções políticas prevaleceu apenas "o drama humano universal transportado para nossa terra". Sua ambição em política teria sido "toda de ordem puramente intelectual, como a do orador, do poeta, do escritor, do reformador". Dirá textualmente:

> Procurei na política o lado moral, imaginei-a uma espécie de cavalaria moderna, a cavalaria andante dos princípios e das reformas; tive nela emoções de tribuna, por vezes de popularidade, mas não passei daí: do limiar; nunca o oficialismo me tentou, nunca a sua deleitação me foi revelada; nunca renunciei a imaginação, a curiosidade, o diletantismo, para prestar sequer os primeiros votos de obediência. (MF, 22–23).

Em Nabuco, porém, a visão estetizante não se entregava sem luta à própria lógica. Em certa medida, era desautorizada e contrabalançada pelo empenho pragmático e realista em obter resultados, pela busca do desfecho e da conclusão. Foi assim especialmente no abolicionismo, causa que exigiu a mobilização dos fatos puros do espírito tanto quanto das impurezas da política prática, que impôs concessões e acomodações de vários tipos e levou o esteta moralizante a buscar as raízes sociais dos fatos morais, a se abrir para alianças e forças "materiais" e, com isso, a ultrapassar o plano próprio do drama, da moral, da estética. Não bastavam a indignação ética e a iniciativa intelectual, nem mesmo quando acompanhadas de alguma pressão popular. As coisas não aconteceriam naturalmente, sem determinações de vontade e sem *iniciativa política* – do Parlamento, dos estadistas, dos governos, da Coroa. (*A*, 39–43; cf. NOGUEIRA, 2001).

A grande reforma social almejava ir além da libertação dos escravos. Donde a realista e pragmática indiferença de Nabuco para com a questão da forma do governo: enquanto a Monarquia estivesse contribuindo para a conclusão da reforma, teria no abolicionismo um leal aliado; discutir sua substituição pela República seria abrir mão do fundamental. O decisivo era responsabilizar o vértice estatal, convocá-lo para cumprir seu papel na magna tarefa de erradicar "a obra da escravidão".

Do mesmo modo, o embelezamento retórico da Monarquia – eixo constitutivo de *Um estadista do Império*, como se sabe – esteve compensado tanto pelo esforço "objetivo" de contar a história quanto pela preocupação de explicar a morte da Monarquia e de justificar-se a si próprio. Sua teoria monarquista foi o contraponto – quem sabe a correção de rota, a depuração, a negação – de sua teoria abolicionista. Sua última década, a do pan-americanismo, poderia ser vista, assim, como a síntese, a negação da negação.

O plano ético-moralizante do intelectualismo e o plano mais imediatamente político do realismo viveram em tensão e em equilíbrio dinâmico, alimentando-se um ao outro. Nabuco formou-se intelectualmente nos entrechoques da razão universal e da substância nacional, dos princípios puros – da Ideia – e da sua tradução prática. Chegou à maturidade e ao fim da vida às voltas com a luta entre o fascínio excitante da imaginação e a monotonia rasteira da prática política e administrativa. Quis brilhar como pan-americanista, por exemplo, na primeira década do século XX, e esforçou-se para expor com convicção o que acreditava ser a mais bela ideia para um novo tempo. Foi no entanto ludibriado pela competência "prática" de Rio Branco, num embate surdo mas nunca plenamente disfarçado. Seu pan-americanismo foi "exuberante e entusiasmado", ao passo que o do barão esteve sempre cortado "pela sobriedade e pelo realismo", como escreveu Álvaro Lins. (LINS, 1996: 322)

II : ESTILIZAÇÃO, REALISMO E DIPLOMACIA

A trajetória diplomática de Nabuco, bem como o modo como ele se desincumbiu das tarefas que lhe foram atribuídas pelos governos republicanos entre 1899 e 1910, não fugiram dos traços gerais de sua personalidade política e intelectual.

Proclamada a República, Nabuco retirou-se para a vida privada. Fechou-se "em uma espécie de arquivo, a recolher em livros, em documentos, em retratos, em tradições quase desconhecidas hoje, os traços da original, delicada e a alguns respeitos ideal civilização em que pôde florescer por tanto tempo a única Monarquia da

América" (DM, 77). Entregando-se à redação de *Um estadista do Império*, preparou-se discretamente para ingressar no século XX. Pouco a pouco, desfeitos os sonhos restauradores e confirmada a supremacia do civilismo paulista sobre o republicanismo militar, foi-se tornando disponível para novos engajamentos. A tensão dialética entre intelectualismo e realismo voltaria a pulsar, agora com outro molejo. Seriam outros os tempos, outras as ideias.

Passada a onda "jacobina" que acompanhou o golpe de 1889, os republicanos conseguiram cimentar um caminho para moderar a construção do país em termos políticos e sociais, liberando-o em termos econômicos. O Brasil se modernizou e se alterou bastante, mas permaneceu quase o mesmo em política. A "nova classe" que emerge com a República dotará a nação de um Estado federalizado e de uma rotina democrático-representativa administrada por cima, de modo elitista. Edificou assim uma ordem política liberal mas não democrática. A República modelou tanto as práticas políticas quanto as mentalidades e as condutas, mesmo as aparentemente mais firmes e resistentes, como a de Nabuco. Ao final da primeira década do novo regime, já não havia mais uma revolução a ser feita, e a vida política se acomodaria. Acomodar-se-iam também, de modo inevitável, os alinhamentos políticos e doutrinários.

Muitos defensores da Monarquia traduziram o dilema da época numa escolha entre a nação e o regime. Com quem deveriam ficar, agora que a República se consolidara?

Nabuco pavimentou com cuidado (ainda que não necessariamente com cálculo) sua aproximação com o governo republicano. Estabeleceu em 1890 um porto seguro na ideia de que "não é preciso ser republicano sob a República, como não era preciso sob a Monarquia ser monarquista, para cumprir os deveres de um bom brasileiro. Basta ter clara a noção de que nunca se tem direito de prejudicar a pátria para prejudicar o governo" (E&D, 69-70). Liberou-se gradativamente para aceitar, em 1899, o convite feito por Campos Sales para voltar ao serviço diplomático. Escreveu então ao almirante Jaceguai:

> Podem os partidos na luta política achar-me em contradição com eles; ainda não me acharam, porém, incoerente comigo mesmo, com meus próprios sentimentos, que são os ideais a que servi". [...] "Não foi à última hora, foi logo desde a primeira que continuei minha marcha sob a República pela mesma estrada, a cavaleiro dos partidos, em que andei sempre sob a Monarquia. (CA, II, 13–15)

A adesão de Nabuco foi pragmática. A restauração monárquica, afinal, havia ficado inviável pois se reduzira à reposição mecânica do passado. E ele, por diferentes razões, não poderia se conformar em ter os livros como sua única causa. Além do mais, era preciso dar condições de governabilidade à República dos civis contra os "jacobinos militaristas". Ao pragmatismo, porém, não faltaria uma boa dose de estilização. Nabuco optava pela pátria, pela causa nacional, pelo dever para com o país, não pela questão política. Decidia-se motivado pelo apoio que mereciam aqueles que com ele compartilhavam muitas coisas e afinidades. Em abril de 1899, escreveu a Domingos Alves Ribeiro:

> Fui e sou monarquista, mas essa é uma caracterização secundária para mim, acidental; a caracterização verdadeira, tônica, foi outra: *liberal* – liberal não no sentido partidário, estreito, mas no sentido que decorre destas duas consciências profundas que tenho em mim, de criatura de Deus e de membro da humanidade. Essa é a caracterização política da minha vida, como a afetiva é a brasileira. São essas três grandes correntes morais – Deus, Pátria, Humanidade – que formaram a zona temperada do meu liberalismo, a única em que vivi. Por isso chamaram-me na Monarquia republicano e por isso fiquei na República monarquista. (CA, II, 24–25)

A diplomacia oferecia a Nabuco todas as condições para evitar o ostracismo, o que seria, àquela altura (aos 50 anos de idade), uma morte antecipada. Permitiu-lhe entrar em sintonia com o país sem maiores exigências políticas ou ideológicas. A diplomacia estava revestida de uma auréola suprapartidária e patriótica incontestável, que deitava raízes no Império. Como reforço, fornecia a Nabuco o mundo e o afastava da política miúda. Concedia-lhe um largo espaço para pelejar por ideias e ideais, para desenhar grandes projetos e voltar a desempenhar um papel de destaque.

As circunstâncias históricas o auxiliaram nesse movimento. A política externa brasileira ingressou no novo século tendo de conviver com um sistema internacional em transformação e cortado tanto pela intensificação das disputas por mercados e territórios quanto por fortes redefinições em termos de hegemonia e de preeminência. O prosseguimento ascendente da marcha imperialista em escala mundial, com a consequente redefinição do equilíbrio de forças entre as grandes potências, forçaria o governo brasileiro a voltar-se para o continente americano. Era preciso buscar relacionamentos internacionais mais diversificados e paritários. O capitalismo em expansão (no mundo e no interior de cada nação) produziria uma reversão no exclusivismo europeu, incentivando ao menos um flerte com as Américas. Ainda que fortemente determinado pela emergência dos Estados Unidos como grande protagonista das relações internacionais, o movimento em direção à América também refletia a necessidade de se redimensionar o relacionamento brasileiro com os países latino-americanos, que havia sido permanente fonte de tensões ao longo do século XIX. O Brasil carecia de um novo e melhor equacionamento de suas relações externas, capaz tanto de firmar um estatuto de limites territoriais e de estabilizar politicamente a América do Sul quanto de enfrentar as novas exigências comerciais e financeiras impostas pela nova ordem econômica mundial e pela própria economia nacional.

Assumindo o Ministério das Relações Exteriores no final de 1902, o barão do Rio Branco será o grande artífice da reviravolta da política externa brasileira. Continuador das tradições da diplomacia imperial, mas suficientemente flexível e moderno para perceber a nova ordem de coisas, procurará conduzir o Brasil para a conquista de um espaço próprio junto à América Latina. Buscará um inteligente equilíbrio entre a influência britânica e a influência norte-americana, aproximando-se dos Estados Unidos para contrabalançar o peso da Inglaterra e cortejando a Argentina e o Chile para conter as ambições do Norte. Tentará garantir a independência de ação brasileira e obter vantagens diante dos países vizinhos. Nem sempre obterá sucesso nessa manobra e acabará – de modo não necessariamente intencional – por ser o principal impulsionador da "americanização" da política externa brasileira.

Nabuco foi o tradutor passional da política de Rio Branco. Tornou-se um entusiasta do pan-americanismo entendido como união americana sob a ascendência dos Estados Unidos. Necessitado de uma nova causa, adotou o pan-americanismo com o mesmo ardor dos seus sonhos patrióticos da década abolicionista, como escreveu para Rio Branco em outubro de 1907. Preparou-se para isso desde a década de 1890. Em *Balmaceda* (1895), por exemplo, escreveu que era preciso prestar mais atenção à "marcha do continente" e ouvir a "pulsação continental", já que o Brasil passara a "fazer parte de um sistema político mais vasto". Neste sistema, era insensato "lutar contra o imã do Continente, suspenso, ao que parece, no Capitólio de Washington". Converter-se-á ao "monroísmo", à tese de que a política externa dos Estados Unidos não podia se submeter à vontade das nações europeias e deveria garantir a segurança do continente americano ("A América para os americanos").

Nabuco fará esta conversão, porém, demarcando distância dos republicanos, que acreditavam que o americanismo era uma "força cósmica, como se o oxigênio e o azoto formassem na América uma combinação especial dotada de vibrações republicanas", uma espécie de "garantia dada não só à independência, mas à forma republicana em todo o continente". Nabuco não aceitava que se pudesse predeterminar o "modo que a civilização há de encontrar para se introduzir no Continente". Não seria seguramente mediante uma "absorção pela Europa", nem por meio de proclamações doutrinárias republicanas. Poderia ser por um monroísmo bem compreendido, que admitisse que "a solução do problema fosse procurada dentro mesmo de cada um dos nossos países". (*B*, 183–186).

Seria injusto e incorreto referenciar o pan-americanismo de Nabuco a uma capitulação diante da supremacia norte-americana. Sua adesão e sua entrega àquela causa foram marcadas por um misto de ingenuidade, intuição e generosidade. Precocemente envelhecido e sem ânimo político maior, Nabuco concebeu a união americana como um verdadeiro sucedâneo do abolicionismo, um meio de superar a marginalidade política a que ele próprio se reduzira depois de 1888. Nada mais havia que o prendesse ao passado senão o heroísmo e as glórias da campanha abolicionista. Quando retorna ao Brasil em 1906, para as sessões da III Conferência Pan-Americana, pronunciou um discurso em Belo Horizonte reconhecendo o fato: "Para preencher esse vazio profundo era preciso uma causa tão grande do ponto de vista nacional como tinha sido a causa da abolição."

O pan-americanismo foi a ponte que o ex-monarquista encontrou para chegar à República e permanecer útil ao país, ficar bem consigo e com a nação. Foi sua última propaganda, na qual realismo e estilização ainda puderam pulsar com alguma vibração.

III : O ÍMÃ SUSPENSO

Nabuco chegou aos Estados Unidos de má vontade. Não lhe interessava o modo de vida americano, tão avesso aos hábitos e valores aristocráticos que ele incorporara em seu longo convívio com a cultura europeia. Chegou saudoso do Velho Mundo, ressentido com Rio Branco, que o afastara da Europa e o enviara para uma espécie de "desterro", enterrando-o em um "pomposo túmulo" (CA, II, 213). Suas primeiras observações a respeito da nomeação e da ida forçada para Washington são amargas, quase depressivas.

Nabuco levava consigo algumas convicções dos anos em que fora *attachée* da legação brasileira nos Estados Unidos (1876–1877) e que se cristalizaram na década de 1890. Acreditava que iria se deparar, em Washington, com a vida americana em estado bruto: pragmática, horizontal, informal, insensível à educação dos sentidos e às boas maneiras. Estava certo de que voltaria a se aborrecer, como na década de 1870, com aquele "país prático por excelência", no qual "ganhar dinheiro é o único fim real", uma sociedade mercantil com um "povo de *shopkeepers*". (*Diários*, I, 182, 140).

Mas Nabuco era diplomata em serviço e se esforçaria para ver o lado profissional e o lado simbólico de suas novas atribuições. Além disso, estava convencido de que o eixo do mundo se deslocara para a América do Norte, tanto em termos geopolíticos, quanto em termos culturais. Em março de 1890, por exemplo, ele anotou em seus *Diários*: "a aristocracia do futuro não promete ser outra senão a do dinheiro; o cosmopolitismo argentário sobrepujou todas as nobrezas e distinções do mundo" (*Diários*, II, 180). Estava em curso um "processo de desmoralização geral pelo mercantilismo e dinheiro", diante do qual era preciso repor certos parâmetros mas sobretudo inovar, transformar. Ou seja, conservar para modificar e avançar, ideia com a qual Nabuco fizera a luta abolicionista e que o acompanharia a Washington. Pouco depois de chegar à capital norte-americana, em 1905, escreveu a Tobias Monteiro: "É preciso um pouco de tradição, um pouco de passado, sobretudo quanto aos costumes, mas é preciso também, e muito mais, transformação, e futuro" (CA, II, 223).

Até mesmo por obrigação funcional, mas também por sensibilidade analítica, Nabuco percebia a preeminência que estava reservada aos Estados Unidos na nova ordem mundial em constituição. Acreditava que era preciso modificar o centro da política externa brasileira, direcioná-la para o Norte. Em março de 1899, escreveu a Rui Barbosa para enfatizar que "todas as altas posições e funções políticas entre nós [...] têm dora em diante que ser aceitas sob a impressão do terror sagrado próprio aos que elaboram os destinos nacionais em uma época de crises e mutações" (CA, II, 10).

Na verdade, ele entrou no novo século convencido do desgaste dos parâmetros e instituições anteriores, como que a anunciar o início de uma era de "decadência nacional". Dirá a Carlos Magalhães de Azevedo em fevereiro de 1899: "entramos na órbita americana [...] e nossa evolução far-se-á no mesmo sentido que a dos outros satélites de Washington" (CA, II, 5).

Depois dos estragos provocados pelos jacobinos republicanos – que haviam deixado, na sua concepção, um país "sem instituições dignas deste nome" – e tendo em vista a volta dos políticos civis ao comando do Estado, era chegada a hora de reorganizar o Brasil e sintonizá-lo com o novo mundo que nascia. Algo deveria ser feito para garantir a integridade territorial (o "corpo da pátria") e organizar a nação, educar e preparar o povo para o futuro, ou seja, cuidar da "alma da pátria", como ele observou em uma carta ao almirante Jaceguai (CA, II, 16). Sem um "movimento patriótico irresistível", que mobilizasse as melhores energias e os maiores talentos nacionais, o país seria arrastado para o caos republicano sul-americano e não conseguiria enfrentar os novos perigos que surgiam, ameaçadores, vindos de fora. A diplomacia configurava-se, assim, como um decisivo instrumento do Estado.

Foi com esta concepção que aceitou, em 1899, depois de longo flerte, colaborar com os republicanos e ir para a Europa advogar pelo Brasil em uma disputa territorial com a Inglaterra envolvendo a Guiana. Mergulharia na diplomacia em um momento internacional que considerava delicado, perigoso, mas, por isso mesmo, excelente para altos voos de imaginação e vontade. Em 1900, é nomeado ministro-chefe da legação brasileira em Londres. Entrega-se à redação e à propaganda da defesa brasileira, circulando pela Europa. Em 1902, com a eleição de Rodrigues Alves para a presidência da República, Rio Branco assume o Ministério das Relações Exteriores. Em maio de 1902, escreverá de Londres com intuito de animar o amigo a aceitar o Ministério das Relações Exteriores:

> O Brasil vale bem esse sacrifício, porque o pobrezinho está precisado de homens para não mergulhar no remoinho sul-americano. Esta é uma fase crítica exceto para os grandes im-

périos, e ainda assim estes não sabem o que lhes vai acontecer. É a era dos *trusts* e dos *combines* (CA, II, 121–2).

As relações com Rio Branco, no entanto, não serão tranquilas. A vocação de Nabuco era a de ser protagonista. Não gostava nem de receber ordens, nem de se ver ultrapassado por fatos ou decisões políticas. Seu esteticismo e sua formação aristocrática o compeliam para a independência, e se chocarão com o realismo e as ponderações pragmáticas do ministro. Nabuco desejava permanecer em Londres, quem sabe em Roma ou no Vaticano, lugares-símbolo da velha Europa que tanto o encantava, e na qual imaginava se estabilizar. Rio Branco pensava diferente, e o nomeou para instalar a primeira embaixada brasileira nos Estados Unidos.

Em janeiro de 1905, Nabuco começa a comentar com os amigos a nomeação para Washington. Suas cartas e anotações refletem um misto de preocupação pessoal, ressentimento e disposição para voltar a cumprir um papel de destaque. Engrandecia e ampliava os fatos para suportar o que entendia ser uma injustiça. Foi nomeado em um momento complicado: apesar de seu empenho, o Brasil perdera a disputa com a Inglaterra, e o vaidoso Nabuco sentira o golpe. Washington era uma oportunidade para voltar ao palco mas, simultaneamente, representava para ele um "duplo desterro", que o colocava "longe da Europa e longe do Brasil". Como escreveu a Graça Aranha, interpretava a nomeação como uma "remoção forçada", pois Rio Branco não lhe havia deixado nem a opção moral, nem a opção patriótica. Não podia recusar, ainda que não desejasse a embaixada (CA, II, 202).

Explorará então ao máximo a convicção de que se estava a entrar em um novo mundo, repleto de desafios e oportunidades. O mundo mudara, ganhara mais velocidade e mais gente. Antes, havia "menos gente e mais lazer". Ao abrir-se o novo século, passara-se a viver "em um *crowd* e dentro de um expresso", escreveu ao barão de Albuquerque. Momentos críticos e tensos, porém, exigiam grandes causas e grandes homens:

> É o sistema político do globo que começa em vez do antigo sistema europeu! É um grande assunto de observação tudo isso. Pode-se dizer que estamos nas vésperas de uma nova era. Para nós, o observatório de Washington é em tal conjuntura o mais importante de todos (CA, II, 199–200).

Era preciso, portanto, desde logo, "estudar a Doutrina Monroe". Não havia muita margem para alternativas. A escolha seria "entre o monroísmo e a recolonização europeia":

> O equilíbrio dos dois mundos não permite mais a existência de nações isoladas e tirando benefícios dele. Hoje a proteção impõe deveres às nações que a recebem, e a única proteção da América é o *sea-power* que só os Estados Unidos têm nela. Monroísmo é assim a afirmação da independência e integridade nacional pelo único sistema que as pode garantir (*Diários*, 346).

Embora reconhecesse que a criação da Embaixada era uma iniciativa de mérito estratégico, tinha dúvidas quanto ao caráter da decisão e às reais intenções do governo republicano. Iria para os Estados Unidos consciente da relevância norte-americana e da necessidade de se unir as Américas. "Não nomearam um autômato, nem um antimonroísta", escreverá a Graça Aranha em janeiro de 1905 (CA, II, 202). Não gostara inicialmente da nomeação, mas não se queixaria indefinidamente. Iria empenhar-se como sempre, procurando "o modo de construir pela imaginação alguma coisa em que o país se reveja com a consciência satisfeita". (CA, II, 203).

Em uma famosa carta para Rio Branco, redigida em dezembro de 1905, Nabuco deixará claro o que imaginava ser sua maior contribuição e suas preocupações. "Eu acredito estar chocando para você e o Presidente um ovo de águia, mas tenho medo de que levado para aí ele saia gorado por falta de calor monroísta no governo e no país". Ela insistia para que o ministro apoiasse sem vacilação os movimentos do embaixador em Washington e não perdesse a oportunidade aberta pela III Conferência Pan-Americana, cuja realização se daria no Rio de Janeiro em julho de 1906:

> Nunca, em minha opinião, um brasileiro teve tanta responsabilidade nos destinos do nosso país como você ante os dois caminhos que se lhe deparam: o americano e o outro, a que não sei como chamar, se de latino-americano, se de independente, se de solitário. Eu, pela minha parte, sou francamente monroísta, e é uma pena estar fazendo tanto aqui se estou trabalhando em vão, para nada. [...] O meu monroísmo é mais largo [...] o que eu quero é uma espécie de aliança tácita, subentendida, entre os nossos dois países; que vamos nesse caminho tão longe e quanto nos seja possível, e que fiquemos desde já certos um do outro. [...] Não estou trabalhando para mim. Será uma fatalidade, se nós não concordarmos em encarar o futuro do nosso país do mesmo modo, porque da concordância podia nascer um grande acontecimento, uma nova era nacional (CA, II, 237–239).

A III Conferência será um sucesso político, mas a aliança tácita desejada por Nabuco não foi aprovada. Mesmo assim, um passo seria dado, e na prática reconhecia-se que, a partir de então, os Estados Unidos haviam se convertido no "centro motor" da política externa brasileira.

Nabuco permanecerá em Washington até o fim da vida. Progressivamente, suas condições de saúde piorarão. Continuará a ser homenageado e a fazer sucesso nos círculos diplomáticos, políticos e intelectuais da capital norte-americana. Receberá inúmeros convites para proferir conferências em círculos literários e universitários. Equilibrava-se entre a paixão intelectual e o dever profissional, que ele via como patriótico.[3]

Será nesse contexto que Nabuco discursará em Yale, em 14 e 15 de maio de 1908.

IV : YALE, CAMÕES E O SENTIMENTO DA NACIONALIDADE

Por que falar de Camões e dos *Lusíadas* nos Estados Unidos? [4]

Antes de tudo, para realçar o valor em si da língua portuguesa, num momento em que a cultura estava se "tornando cada vez mais difusamente anglo-germânica" e os autores clássicos perdiam prestígio. Camões ocupava um lugar no panteão dos grandes poetas, ainda que o idioma em que se expressava lhe trouxesse algumas desvantagens perante auditórios mais amplos.

Camões, além disso, era o "poeta da sua Nação", fato que lhe dava extraordinário relevo mas, ao mesmo tempo, prejudicava sua recepção, já que era expressiva a "falta de interesse geral em Portugal como fator na história, como individualidade entre as nações". Exemplo grandioso de um poema nacional digno do nome, *Os Lusíadas* exprime um autêntico "culto da pátria", um "santuário e relicário de Portugal", a cantar os feitos e as glórias "de um império e de um poder marítimo a constituir-se".

Para Nabuco, o épico de Camões também era "o poema da era moderna", dedicado a evocar o Ocidente que o poeta – mediante o uso genial da imaginação – desejava ver unido em suas margens opostas, a Europa e a América. Tratava-se de uma obra que buscava enobrecer e dignificar a vida, consubstanciando-se em "poesia e ação do mais alto cunho". Com seus versos, o poeta "alcançou um fim que não é dado nem aos reis nem aos estadistas alcançarem – infundir vida imorredoura à alma de seu povo".

Falar de Camões e dos *Lusíadas* para norte-americanos, no início do século XX, naquele momento em que se desenhava um novo mapa político no mundo, cujo epicentro seria ocupado precisamente pelos Estados Unidos, era portanto mais que prestar homenagem a um gênio poético. Era também cantar as glórias da pátria e acima de tudo de uma *ideia de pátria*: era explicitar o valor da nacionalidade, do sentimento nacional, do território e, ao mesmo tempo, da imaginação e da vontade, sem as quais seria impossível construir boas sociedades.

Valendo-se das metáforas camonianas, Nabuco queria destacar a missão que se impusera, anos atrás (em 1905), ao aceitar a tarefa de criar a embaixada brasileira em Washington. Desejava dar sua contribuição para que os norte-americanos conhecessem e admirassem o valor dos mitos, dos heróis, dos monumentos mediante os quais se fundara o outro lado da América, o lado do Sul, mais precisamente o Brasil.

Este propósito ficou claro na conferência do dia seguinte, 15 de maio de 1908, proferida no Spanish Club da Universidade Yale e intitulada, não por acaso, "O sentimento da nacionalidade na história do Brasil". Nabuco quis falar do Brasil depois de ter falado de Camões "porque o Brasil e os *Lusíadas* são as duas maiores obras de Portugal".

Como o poema, também o Brasil ganhava voo impelido pelo idealismo, do qual fazia parte o americanismo. Nabuco declarou na conferência: "Somos e sempre fomos leais ao nosso continente. O Brasil nunca poderia acorrentar-se a funções interesseiras ou egoístas, pois é governado pela imaginação". Tudo deveria ser visto por este ângulo.

> Cada gesto da nossa história pode-se explicar pelo idealismo e por nada mais, especialmente os grandes eventos – a Independência, a Abolição da escravatura, a República –, que desabrocharam sem nódoa de sangue, por causa do idealismo nacional que faz adormecer os interesses prejudicados e as decepções de lucro, por maiores que sejam, quando se trata de um destino da Nação que precisa consumar-se (PS, 442).

A República, portanto, que no passado recente tanto incomodara o embaixador, era assim celebrada em chave patriótica, selando o modo como Nabuco fizera as pazes com os republicanos. No fundo, para ele, a derrubada do Trono refletira "o ideal que sempre parecera à juventude brasileira o alvo político mais desejável", ou seja, "o da democracia sem o princípio hereditário a encabeçá-la" – ideal este que espelhava a "ininterrupta atração exercida pelo poderoso ímã suspenso no Capitólio de Washington".

Inspirado por tais fatos e valores, o Brasil organizou-se como uma nação na qual "jamais a liberdade foi sacrificada à ordem". Soube preservar seu território e sua unidade graças à amizade com os demais países, ao catolicismo, ao idioma comum e ao sentimento nacional, atributos a que se somariam diversas circunstâncias felizes. "O Brasil sempre teve consciência do seu tamanho e tem sido governado por um sentimento profético do seu futuro. Mostrou-o como Nação desde o primeiro dia, tomando para si a categoria de império, enquanto Portugal, a antiga mãe-pátria, permanecia reino" (PS, 440).

O embaixador cumpriria assim seu papel. A união pan-americana teria um parceiro natural no Brasil, sempre "leal a seu continente", e contribuiria para que se introduzisse, no mundo, uma perspectiva de maior harmonia entre ordem e liberdade. Não era uma causa destinada a ter ressonância popular, como a abolição, mas seguramente não se tratava de um súbito raio estético, descolado da realidade, estranho à lógica dura da política.

V : CONCLUSÃO

Não deixa de ser curioso perguntar como foi possível que alguém que manteve com a política uma relação quase de estranhamento tenha podido representar um papel político.

Pode-se supor que Nabuco beneficiou-se precisamente de seu talento doutrinário e de uma sempre desejada inserção na vida mundana para conviver tanto com a monotonia da rotina política e administrativa quanto com a modorra nacional. Alcançou um equilíbrio dinâmico entre "estética" e realismo (NOGUEIRA, 2000) que o imunizou contra certos traços perversos da sociedade imperial – como a constante bajulação do poder, a cooptação, os jogos de cena, o arrivismo, o simulacro – e lhe possibilitou estabelecer uma zona suportável de engajamento e militância. Ajudou-o, além do mais, a embelezar e a dar maior coesão doutrinária à necessária dureza da *realpolitik*. Não foi um fato sem consequências ou de pouca relevância. Registrar e explorar este equilíbrio, portanto, é um expediente analítico revestido de alta potência explicativa.

Deste equilíbrio dinâmico derivou, por exemplo, um padrão de liberalismo: espasmódico, ora heroico e vibrante, empenhado em sacudir a nação em "seu leito de paralítica", como ele diria na campanha abolicionista, ora quase ultramontano, conservador, preso à moderação contemplativa e com reduzida dimensão reformadora. Nada a lamentar, porém, sobretudo se se considerar o liberalismo brasileiro da época: "bragantino", temente, despojado de inspirações igualitárias e democráticas, concentrado muito mais na liberdade da nação (ou do sistema político nacional) que na liberdade do indivíduo ou na projeção de um futuro de maior justiça social para o país.

O equilíbrio dinâmico também impediu que o realismo pragmático bloqueasse a análise radical e abrangente. Ao invés de tolhê-lo, a "imaginação europeia" (o monarquismo parlamentar) deu a Nabuco condições de evitar o politicismo dos republicanos – presos à questão da forma do regime. Ajudou-o também a pensar a abolição como reforma global. O resultado foi excepcional: ao longo da campanha abolicionista, Nabuco devassou a sociedade imperial, desceu às entranhas do sistema social organizado com fundamento na escravidão e na grande propriedade agrária, bem como apresentou um generoso plano de reformas voltadas para o desenvolvimento e o progresso social do país.

Passou-se o mesmo com sua conversão pan-americanista, ao final da vida. Ainda que em posição de menor destaque, se comparada à de Rio Branco, sua movimentação não só soube focalizar uma exigência da realidade – o deslocamento do eixo da hegemonia mundial e a necessidade que tinha a política externa brasileira de acertar o passo com os Estados Unidos –, como também mostrou sensibilidade para dar "poesia" à reorientação diplomática que seria empreendida. Nabuco não teve condições de dar maior consistência teórica à política externa brasileira, mas é inegável que ele, com sua vaidade e seu entusiasmo romântico muitas vezes ingênuo, estava *pensando e estilizando* o que o ministro das Relações Exteriores definia como *política* de Estado.

Nabuco percorreu sem cessar uma trilha em cujas extremidades estacionaram o liberalismo conservador e o radicalismo liberal, o republicanismo como ideia e a monarquia parlamentar como modelo ideal. Seu republicanismo foi exclusivamente ideal, uma "ilusão" de juventude sem maior desdobramento prático. Nabuco foi bem mais liberal que republicano e, tirando a década abolicionista, foi mais termidoriano que democrático, mais preso à beleza universal da fórmula centrista e parlamentarista que ao calor das ruas. No fundo, foi mais parlamentarista que monarquista, até mesmo porque não visualizou um modo factível (realista) de reunir regime republicano e parlamentarismo nas concretas condições históricas nacionais. Não teve como evitar a condenação do instituto da escravidão (uma indignidade que maculava a estética liberal) nem como deixar de aderir ao monarquismo. Como monarquista, porém, fez oposição ao imperador, denunciou a farsa do parlamentarismo e aceitou colaborar, ao final dos anos 1890, com a República vencedora. Proclamou-se então um monarquista platônico, como se reconhecesse que os fatos tinham mais força que a ideia mas não seduziriam tanto quanto ela. Enfeixando tudo, uma nítida sensação de inoperância política.

A tensão aqui mencionada não se fazia por escolha ou opção pessoal. Ela estava em boa medida sobredeterminada pelos próprios termos do jogo social brasileiro – com sua ausência de sujeitos coletivos e cidadania ativa – e pelos próprios traços biográficos do personagem, por sua história de vida. Nabuco sempre oscilou entre as letras e a atividade prática, entre a contemplação e a ação, entre a imaginação e o sentimento, e em boa medida não teve como evitar a política, que lhe foi praticamente "imposta" por contingências familiares.

Nabuco foi, em suma, um cosmopolita que em dado momento aderiu a uma causa nacional. O fascínio pelo mundo ajudou-o a mitigar o tédio diante do ritmo nacional, mas também o afastou dele.

Havia um quê de respeito canônico pelo europeu no cosmopolitismo de Nabuco, coisa que tanto incômodo causaria nos participantes da Semana de Arte Moderna de 1922, por exemplo. Mas não se tratava de um respeito afetado, gratuito, acidental, que chegasse a impedir a relação ativa do personagem com sua época ou seu país. Tanto que, ao final da vida, quando se entrega às relações externas, não terá dificuldade em "trocar" a admiração pelas velhas potências europeias pelo elogio da nova potência norte-americana, a Europa pela América. Será uma conversão que ele entenderá como sendo uma exigência dos tempos e um modo de proteger as repúblicas do Sul diante do velho imperialismo europeu e, ao mesmo tempo, mediante a união pan-americana, de diluir a força magnética exercida no subcontinente pelo Capitólio de Washington.

Há de fato mais de um Nabuco, mais de uma possibilidade de apresentar sua trajetória, mais de um modo de assimilar sua contribuição. Um pragmatista exacerbado lerá Nabuco como um político sensato, dado ao realismo e à ideia de política como arte do relativo. Um doutrinário, se for progressista e radical, não deixará de se fixar nos arroubos abolicionistas, no discurso incendiário dos anos 1880; se for conservador, seu Nabuco será o dos anos 1890, nostálgico das glórias monarquistas, ou o da primeira década do século XX, deslumbrado com o reencontro da religião e da fé. Há um Nabuco dos governantes, preso à suavidade do gesto e sempre propenso ao diálogo, e um Nabuco dos que pensam a política como um campo de possibilidades que não dispensa o confronto, a crítica e o questionamento.

Mas Nabuco não é seguramente um conjunto de imagens fragmentadas que se negam ou se relacionam por antinomias. Em sua obra e em sua trajetória, algumas vigas mestras certamente se mantiveram, ajudando-o a saltar de uma fase a outra sem perda de substância, preservando o equilíbrio dinâmico da dialética estilização-realismo. Os *múltiplos Nabucos* não são prova de fragilidade ou inconsistência, menos ainda de desarticulação ou falta de harmonia e unidade. São, ao contrário, uma demonstração da capacidade que teve o intelectual de traduzir o ziguezaguear da realidade, de permanecer aberto para a revisão de posições e ligado às agendas e urgências de sua época. Somada à fineza de seu estilo e ao caráter envolvente de seu discurso, tal capacidade possibilitou a Nabuco emprestar vigor e poesia a todas as causas que abraçou.

NOTAS

1 As obras de Joaquim Nabuco serão citadas no corpo do texto com as iniciais ou de forma resumida. Ver Referências Bibliográficas, ao final.

2 O presente texto incorpora passagens substantivas de dois ensaios redigidos em ocasiões anteriores (NOGUEIRA, 2000 e 2003/2007) e baseia-se na pesquisa realizada para o livro *As desventuras do liberalismo* (NOGUEIRA, 1984).

3 Sobre a dimensão mais propriamente biográfica de Nabuco, em suas diferentes fases e com muitas de suas questões cotidianas, ver VIANA FILHO (1973), NABUCO (1929) e ALONSO (2007).

4 As conferências feitas por Nabuco nas universidades americanas, entre 1908 e 1909, estão reunidas em *Pensamentos soltos* (PS).

REFERÊNCIAS BIBLIOGRÁFICAS

Obras de Joaquim Nabuco

MF – *Minha formação*. 9ª ed. Rio de Janeiro: José Olympio; Brasília: INL, 1976.

PS – *Pensamentos soltos*. São Paulo: Instituto Progresso Editorial, 1949.

A – *O Abolicionismo*. 6ª ed. Petrópolis: Vozes, 2000.

E&D – *Escritos e discursos literários*. São Paulo: Instituto Progresso Editorial, 1949.

B – *Balmaceda*. São Paulo: Companhia Editora Nacional; Rio de Janeiro: Civilização Brasileira, 1937.

EI – *Um Estadista do Império*. 4ª ed. Rio de Janeiro: Editora Nova Aguilar, 1975.

DM – "O dever dos monarquistas. Carta ao Almirante Jaceguay" [1895], in *Joaquim Nabuco: o dever da política*, org. de José Almino de Alencar e Ana Pessoa. Rio de Janeiro: Edições Casa de Rui Barbosa, 2002.

CA – *Cartas a amigos*. São Paulo: Instituto Progresso Editorial, 1949, 2 volumes.

Diários – Joaquim Nabuco, *Diários 1873–1909*. Prefácio e notas de Evaldo Cabral de Mello. Rio de Janeiro: Bem-Te-Vi Produções Literárias; Recife: Editora Massangana, 2005, 2 vols.

Outras Obras

ALONSO, Angela. *Joaquim Nabuco. Os salões e as ruas*. São Paulo: Companhia das Letras, 2007.

LINS, Álvaro. *O barão do Rio Branco. Biografia pessoal e história política*. 3ª ed. São Paulo: Editora Alfa-Omega/Fundação Alexandre de Gusmão, 1996.

NABUCO, Carolina. *A vida de Joaquim Nabuco*. 2ª ed. São Paulo: Companhia Editora Nacional, 1929.

NOGUEIRA, Marco Aurélio. *O encontro de Joaquim Nabuco com a política. As desventuras do liberalismo: Joaquim Nabuco, a Monarquia e a República*. São Paulo: Paz e Terra, 2010, apêndice.

"De tensões, dialéticas e antinomias: o encontro de Nabuco com a política". *Revista Tempo Brasileiro*, nº 140, janeiro-março, 2000, 75–96.

"O Abolicionismo", in *Interpretação do Brasil: um banquete nos trópicos*, org. Lourenço Dantas Motta, vol. 2, São Paulo: Editora Senac, 2001, 167–190.

Joaquim Nabuco na Era dos Impérios: 1870–1910. *Ciência & Trópico*, Recife, v. 31, nº 2, 2003/2007, 19–34.

SALLES, Ricardo. *Joaquim Nabuco. Um pensador do Império*. Rio de Janeiro: Topbooks, 2002.

VIANA FILHO, Luiz. *A vida de Joaquim Nabuco*. 2ª ed. Rio de Janeiro: Martins-INL, 1973.

JOAQUIM NABUCO E ELIHU ROOT – A VIAGEM PAN-AMERICANA: 1906

Humberto França

I : JOAQUIM NABUCO E A III CONFERÊNCIA PAN-AMERICANA

No segundo semestre de 1905, as dificuldades de adaptação às funções de embaixador em Washington, que Joaquim Nabuco enfrentava, não diminuíram seu ânimo para promover uma diplomacia marcadamente pessoal, com o objetivo de garantir uma aliança informal entre o Brasil e os Estados Unidos e, também, para se impor no papel de líder entre os diplomatas latino-americanos. O seu prestígio e a excelente impressão causada diante do governo americano foram imediatamente reconhecidos. Em julho de 1905, o jornal *Chicago Tribune* informava: "(...) ele [Nabuco] é um homem de esplêndida personalidade, digno, cortês, e causou impressão agradável ao presidente e aos membros do governo com os quais esteve em contato".[1] Do mesmo modo, o secretário Elihu Root, através de uma carta, expressava elogios ao embaixador: "(...) é maravilhoso viver aqui, precisamente no momento em que o progresso gerador parece possível, um representante da maior república sul-americana, um homem que pensa, que utiliza a filosofia da história para a possível conduta de cada dia e que tem a noção da razão..." [2]

Joaquim Nabuco, sentindo-se prestigiado, em pouco tempo demonstrava desenvoltura ao atuar no meio diplomático da capital. Aproximou-se do secretário Root. Juntos se empenharam pela divulgação dos objetivos da conferência e planejaram um jantar que o embaixador Nabuco ofereceria aos diplomatas latino-americanos, com o intuito de divulgá-la.[3] O embaixador também estava convencido de que a sua amizade com o secretário de Estado havia facilitado a decisão de Elihu Root de visitar o Brasil, "(...) porque a resolução dele de ir proveio da impressão que eu causei nele".[4] Na verdade, o motivo da viagem de Root à América do Sul estava inserido nos projetos do governo norte-americano para ocupar o lugar dos ingleses e alemães, na disputa pelo comércio com os países sul-americanos. A prevalência dessas razões, ao que parece, não constava das reflexões do embaixador brasileiro.

Joaquim Nabuco rapidamente se convenceu de que sua diplomacia havia conquistado Washington. Um ano depois de sua chegada, ele anotou no seu diário: "O presidente disse-me que minha estada em Washington marcava uma época não só nas relações entre os Estados Unidos e o Brasil, como entre os Estados Unidos e as nações todas do continente. Quis dizer com isso que eu muito concorri para fazer a América Latina adotar outra atitude para com os Estados Unidos: o exemplo do Brasil foi decisivo, não forçou somente, convenceu".[5] Igualmente, ele se orgulhava de estar influenciando o governo de Washington. Numa nota do seu diário, afirma: "(...) Mr.[John] Barret, ministro americano nomeado para Bogotá, disse-me ter estado ontem com o presidente [Theodore Roosevelt] e que este lhe dissera que não deixasse de travar conhecimento comigo".

Em novembro de 1905, durante as reuniões no Bureau das Repúblicas Americanas, o secretário Root, de surpresa, levantou a necessidade de se reunir a III Conferência Pan-americana. Joaquim Nabuco, inicialmente, não participou desses encontros preparatórios,[6] num dos quais, segundo ele, "(...) Mr. Root insistiu, sem ninguém esperar pela convocação da Terceira Conferência,[7] e o ministro da Costa Rica, J. Calvo, lembrou o direito preferente do Brasil"[8] de sediá-la. A proposta contou com o apoio do ministro do Chile, Walker Martinez. O secretário Root, na ocasião, comunicou que, se o Brasil fosse escolhido, ele iria abrir a conferência no Rio de Janeiro. Porém, o historiador Philip C. Jessup afirma que a decisão do secretário estava centrada numa estratégia para aproximar os Estados Unidos da América Latina, através do Brasil, e possivelmente foi em parte influenciada por "(...) a 'very interesting and excellent memorandum' sent to him [Root] by John Barret, then minister to Colombia, on November 1905".[9] No documento, o ministro Barret acentuava que as nações europeias estavam dispostas a aumentar a sua influência e seus negócios naquela região e que "(...) urged that attention be paid to Rio de Janeiro as a diplomatic center of South América".

As discussões preparatórias para a III Conferência envolveram temas controvertidos. Por exemplo, a questão do livre acesso à navegação nos rios, a respeito do que Nabuco discordava.[10] O assunto interessava aos norte-americanos, mas foi excluído da pauta de discussões. A arbitragem obrigatória, proposta pelos peruanos, igualmente não seria contemplada na agenda. Nabuco também se opunha à proposta da Argentina para inserir na discussão a Doutrina Drago:[11] "(...) apelei diante do nosso Comitê para que nenhuma referência fosse feita... à Doutrina Drago no programa..."[12] No entanto, de acordo com um autor argentino, teria sido o chanceler Elihu Root quem pressionou para que a discussão da Doutrina Drago fosse transferida para a II Conferência da Haia.[13]

Naquela época, a posição do Brasil em meio aos países sul-americanos não era confortável, e principalmente a Argentina procurava confrontar os projetos diplomáticos defendidos por Rio Branco e Nabuco. Numa carta ao barão, o embaixador Nabuco comentava informações sobre a disposição do governo argentino com respeito à conferência: "(...) O amigo do sr. W. Martinez diz ter tido uma conversa privada com o sr. Carlos Rodríguez Larreta [ministro de Relações Exteriores da Argentina, 1904–1906], na qual este lhe dera e entender que o seu país iria procurar chegar a uma fórmula no congresso do Rio de Janeiro, pela qual se fizesse compreender aos Estados Unidos que sua pretendida proteção aos países sul-americanos, no caso de qualquer agressão europeia, absolutamente não era necessária".[14] Esta tese confrontava as propostas de Joaquim Nabuco, pelas quais ele defendia a necessidade de se ter os Estados Unidos como garantidor da integridade do território sul-americano e, portanto, do brasileiro.

O embaixador Nabuco, observando a cena latino-americana do seu posto em Washington, estava bem informado ao advertir o barão do Rio Branco de que os argentinos se esforçavam para ganhar a simpatia dos norte-americanos, fazendo um jogo duplo. Por um lado, eles apoiavam a causa pan-americanista e, ao mesmo tempo, capitalizavam a simpatia das nações latino-americanas, valendo-se da propaganda dos princípios defendidos pela Doutrina Drago. Também buscavam apresentar vantagens aos americanos, tentando convencê-los de que eles seriam a única nação de maioria branca na América do Sul: "(...) An emerging sense, then, of racial superiority over other Latin Americans among Argentina middle classes and elites helps explain the Argentine realignment toward a pro-US Pan American policy – and the distancing of Argentina from the anti-US Pan-americanism of Quesada..."[15] Essa propaganda argentina havia preocupado Joaquim Nabuco, porque ele alimentava a desconfiança de que "(...) os Estados Unidos substituíssem o relacionamento preferencial que começava a frutificar com o Brasil", pois "a ideia de uma aliança com a Argentina seria fatal".[16] Esse temor possivelmente reforçaria o seu empenho em aproximar ainda mais o Brasil e os Estados Unidos, para dificultar os propósitos diplomáticos da Argentina.

Nos inícios do século XX, verificavam-se na Argentina dois grupos que dissentiam a respeito do pan-americanismo. Um deles era favorável[17] e o outro, contrário à doutrina pan-americanista.[18] Saliente-se que o chanceler argentino Luis Drago não seria, conforme atestam alguns autores, um antipan-americanista. Porém, a chamada Doutrina Drago tornou-se um fator de desentendimentos entre os norte-americanos e os argentinos. Assinale-se que a política americanista da Argentina sofria oscilações naquela época. Em 1905, Epifânio Portela, ministro da Argentina em Washington, expressava a aprovação do seu governo ao Corolário Roosevelt e à Doutrina Monroe.[19] Durante a III conferência Pan-americana, no Rio de Janeiro, em 1906, os argentinos esqueceram as divergências e procuraram meios para se aproximarem dos norte-americanos, criticando qualquer tentativa de países europeus de recolonizarem a América Latina.

Retornando aos preparativos para a conferência, assinale-se que o barão do Rio Branco, sempre astuto, aprovava os esforços diplomáticos de Joaquim Nabuco,[20] compreendia as dissimulações dos argentinos e, portanto, assumia uma posição de altivez. A posição brasileira teria de ser prevalente e exigia que o Brasil expressasse a independência de nossa diplomacia durante a III Conferência: "(...) não vamos para congressos subscrever o que os outros querem, mas sim para fazer prevalecer as nossas ideias ou aceitar as que nos pareçam boas e convenientes.[21]

A amizade de Joaquim Nabuco e as suas gestões junto ao secretário Root eram reconhecidas: "In many ways Nabuco helped Root enormously".[22] Na ocasião, Joaquim Nabuco se desdobrava para pressionar o governo brasileiro a oferecer ao secretário Root provas do nosso interesse em manter uma política de estreito relacionamento com os americanos, ultrapassando os argentinos. A este respeito, Nabuco escreveu diretamente ao presidente Rodrigues Alves: "(...) Nada assinalaria tão notavelmente a sua administração como uma aproximação com os Estados Unidos, que fosse compreendida por eles, por nós, pelo mundo, como uma aliança tácita".[23] O embaixador se esforçava para influenciar o roteiro sul-americano de Elihu Root, incluindo na agenda visitas às cidades do Recife (nesta cidade, em 22 de julho de 1906, o secretário de Estado fez o seu primeiro discurso no Brasil) [24] e de Salvador, [25] antes de sua chegada ao Rio de Janeiro.

Definidos os arranjos diplomáticos, Elihu Root informou os planos de viagem ao presidente Theodore Roosevelt. Para evitar perda de tempo na travessia do Atlântico, o secretário de Estado preferiu fazer uma visita de boa vizinhança. Utilizando-se de um navio de guerra, o que causaria surpresa, levou porém a família em sua companhia, para demonstrar boas intenções. A bordo do *Charleston*, Root mandou instalar uma biblioteca com obras sobre a América do Sul. A viagem era para promover o comércio, mas principalmente deveria dar a impressão de que os americanos buscavam estreitar os laços culturais e estabelecer as melhores relações possíveis com as autoridades e com os membros da elite sul-americana. O secretário Root, entretanto, confessava o seu desconforto, numa carta a William J. Wallace, escrita às vésperas da viagem: "(...) and I am driven in preparing for a Southern trip, which will be very fine on the water, but dreadful on land. I hate banquets and receptions and ceremonial calls and drinking warm, sweet champagne at the middle of the day".[26]

II : ELIHU ROOT NO BRASIL: 1906

Após alguns dias no mar, visitando Belém, Recife e Salvador, Root finalmente chegou ao Rio de Janeiro em 27 de julho de 1906. A sua entrada na baía da Guanabara, conduzido por marinheiros na "old portuguese galley" *D. João VI*, foi espetacular, seguida por uma cerimônia grandiosa, com um cortejo de carruagens, um banquete magnífico e, à noite, uma procissão de tochas, organizada pelos estudantes brasileiros.

Na abertura da III Conferência Pan-americana, Joaquim Nabuco saudou o visitante com um discurso pan-americanista em que atribuía a Root a iniciativa do evento e uma atuação decisiva na preparação do programa. Disse ele: "Vós e a conferência vos compreendeis inteiramente um ao outro. A reunião desta conferência é assim em grande parte vossa obra". Aproveitava a ocasião para também reforçar a sua tese sobre o continente americano: "(...) a América forma um sistema político diverso do da Europa... uma zona neutra de paz..." Nabuco também procurava interpretar a mensagem do governo americano: "(...) Um ponto será de grande interesse para vós que tanto desejais o bom êxito desta conferência. Ela está convencida de que a sua missão não é forçar nenhum dos Estados que a compõem a aceitar nada que não estivessem prontos a fazer por sua própria iniciativa". E, em seguida, acrescentava: "Nós bem sentimos o realce que dá a esta conferência a parte que hoje tomais nela. É com verdadeira satisfação que vos recebemos. Aqui, podeis estar certo, vos achais cercado do respeito do nosso continente pela vossa nação, pelo presidente Roosevelt, que se tornou durante a sua administração, e continuará a ser em qualquer posição que se resolva a ocupar na vida pública, um dos guias da humanidade".[27] Ao encerrar o discurso, Joaquim Nabuco afirmou: "Estais descortinando mares políticos nunca dantes navegados, terras ainda não reveladas ao gênio dos vossos estadistas, e para os quais os atraía somente, como a todos nós nos atrai uns para os outros, a irresistível gravitação continental".[28] O discurso de Joaquim Nabuco evidenciava pontos axiais: o primeiro assinalava a personalidade e a importância da presença de Root. O segundo reafirmava a sua confiança no êxito da doutrina pan-americanista sob a liderança norte-americana.

III : OS DISCURSOS DO SECRETÁRIO ELIHU ROOT

O discurso de Elihu Root, na abertura da Conferência, esteve substanciado num didatismo evidente. O secretário procurou explicar aos delegados latino-americanos o funcionamento e as bases de um regime democrático, *self-government*: "(...) To reach the goal toward which we are pressing forward, the governing multitude must first acquire knowledge that comes from universal education".[29] Prosseguindo a lição, Root tratou da evolução política pela qual, historicamente, os países daquele período atravessavam. O secretário de Estado ainda ressaltou: "(...) I believe it to be true that, viewed against the background of conditions a century, a generation, a decade ago, government in my own country has advanced, in the intelligent participation of the great mass of people..." Referindo-se à evolução dos países latino-americanos, disse: "(...) Nowhere in the world has this progress been more marked than in Latin America".[30] E concluiu com um apelo à unidade pan-americana: "(...) it is not by national isolation that these results have been accomplished, or that this progress can be continued. No nation can live unto itself alone and continue to live".[31] Ele manifestava o cuidado de que os delegados à conferência evitassem temas que os desunissem e também procurava tranquilizar os países latino-americanos diante da diplomacia do *big stick*:

> We wish for no victories, but those of peace; for no territory, except our own; for no sovereignty, except the sovereignty over ourselves. We deem the independence and equal rights of the smallest and weakest member of the family of the nations entitled to as much respect as those of the greatest empire, and we deem the observance of that respect the chief guaranty of the weak against the aggression of the strong....[32]

Evidentemente, a declaração de Elihu Root expressava a estratégia norte-americana de contemporizar com os países latinos, para diminuir o impacto da política externa agressiva do governo de Theodore Roosevelt. Ele necessitava amaciar as palavras, para atrair a boa vontade dos governos da América Latina, tudo isso com o objetivo de facilitar os tratados comerciais que os americanos tinham em mente. Seria oportuno notar a breve análise que faz Philip Jessup sobre as declarações do secretário de Estado:

> (...) Root had keyed the substance and tone of his address with his unusual appreciation of Latin American character and susceptibilities... Root had spoken the words. But Root himself was quite aware that words were not enough; the final paragraph of his address was the embodiment of this own creed and he was content to establish a tendency, leaving to future generations the gathering of the harvest. [33]

IV : OS DISCURSOS DO BARÃO DO RIO BRANCO

O discurso do principal personagem da conferência, o barão do Rio Branco, era curto, cuidadoso e não exaltava a participação dos Estados Unidos, nem a presença do secretário Elihu Root no Rio de Janeiro. Pelo contrário, acentuava: "[A Europa] nos criou, ela nos ensinou, dela recebemos incessantemente apoio e exemplo".[34] Igualmente, o barão procurava analisar a importância do encontro para promover o diálogo e dissolver as tensões, valorizando a diplomacia: "É preciso pois afirmar que, formal ou implicitamente, todos os interesses serão por nós respeitados; que na discussão dos problemas políticos e comerciais, submetidos ao exame da conferência, ela não trabalha contra ninguém e só visa a maior aproximação entre os povos americanos, o seu bem-estar e rápido progresso, com que a Europa e outras partes do mundo só têm a lucrar".[35] Nesta declaração se sobressai a procura de um equilíbrio para neutralizar desconfianças dos países latino-americanos em relação ao Brasil, que, segundo eles, manteria uma tendência exclusiva pelo pan-americanismo.

Ao encerrar a conferência, o barão do Rio Branco se congratulou com os delegados pelo resultado das decisões, mas aproveitou para tranquilizar os representantes dos países presentes: "(...) este vasto país [o Brasil] todo unido, na tranquila segurança dos seus destinos, sem preocupações ambiciosas, que nunca teve, de predomínio ou de hegemonia... Nem população densa nem dureza de vida material podem tornar o Brasil suspeito aos povos que ocupam este nosso continente da América. Às Repúblicas limítrofes, a todas as nações americanas só desejamos paz".[36] Naquele momento de evidentes tensões fronteiriças e de ameaças hegemônicas e, principalmente, de desconfianças entre brasileiros e argentinos, Rio Branco utilizou a ocasião para esclarecer equívocos e mudar desconfianças, principalmente as dos argentinos. Utilizava também a oportunidade para aproximar-se dos norte-americanos, sem arriscar nossas alianças tradicionais com os europeus. No discurso, Rio Branco chamou os Estados Unidos de "a nossa gloriosa irmã do Norte", mas não se estenderia em maiores agrados aos americanos.

V : PALAVRAS FINAIS DE ELIHU ROOT

Elihu Root, no seu discurso de despedida na Câmara dos Deputados, referiu-se a Joaquim Nabuco: "I wish to thank the Brazilian people for sending to my country a man so able e so successful in interpreting his people to us as my good friend Mr. Nabuco".[37] O reconhecimento público ao embaixador do Brasil em Washington era uma forma de lhe dar prestígio, de fortalecê-lo. Porém o secretário de Estado sabia que a sua tarefa mais difícil seria convencer o ministro Rio Branco. Do Rio de Janeiro, Root enviou uma correspondência para o presidente Theodore Roosevelt, na qual analisava a personalidade do barão, mencionava a ação de Joaquim Nabuco e tecia comentários sobre a sua recepção no Brasil:

> (...) Baron Rio Branco is an exceedingly astute and capable man and he and Nabuco have worked up the demonstration of international friendship and appreciation with the most careful attention to the minute details. The city of Rio de Janeiro has been en fete for a week, and under the leadership of the press and the students, a very general enthusiasm has spread through the people. Of course this is evanescent, but I have no doubt that there will be a residuum of friendly feelings and of confidence in our kindly feelings, left in place of the wide spread distrust which seems to characterize South American opinion regarding the purposes and attitude of the United States.[38]

À parte a diplomacia, as festas e os discursos, na verdade os norte-americanos estavam interessados no mercado latino-americano. Após a visita de Root, registram-se inúmeros relatórios e telegramas enviados pelo embaixador Lloyd C. Griscom, nos quais ele evitava maiores comentários diplomáticos. Os textos se referiam às negociações com o governo brasileiro, para conseguir redução de tarifas alfandegárias para os produtos americanos importados:

> (...) There can be no question but that your visit has been of great material benefit to the political and commercial interests of the United States. For generations past there has always been in Brazil, as elsewhere in South America, a considerable element of the population who view the United Sates

> with suspicion and mistrust – suspicion of our motives, and mistrust of such conciliatory advances which we may from time to time have made. To remove all these suspicions at one stroke were indeed an impossible task, but it may be said that, as a direct result of your visit to Brazil, the whole attitude of the government and people of this Republic toward the United Sates has been revolutionized and we may fairly count in the future that the assumption will be that we mean well, instead as it has been in the past that we mean harm. [39]
>
> It could hardly be hoped that such a complete revolution would be effected without some opposition, some objection, and we must anticipate a reaction and be prepared to meet it, but the fact remains that the fight is won, and it but rests for us to encourage in every way in our power the friendly feelings which have been excited. [40] The situation previous to your arrival was such that it only required the single assurances which you were able to make and the friendly advances which your visit portended to destroy the suspicious for the serious-minded people whose friendship was worth having, and stimulate the liking and affectionate regard which must come with greater knowledge of our people and our principles. There can be no doubt that your trouble and time would have been amply repaid by your visit to Brazil, even had you never set foot in other parts of South America.[41]

O embaixador, Griscom, ao resumir o relato, também destacava um fato que atesta claramente que o objetivo crucial da viagem de Root havia sido alcançado:

> The first practical results of your visit are now beginning to make themselves seen. Three days ago a prominent member of the Chamber of Deputies introduced a bill which has been reported in the embassy's N. 22 of August 29, which is a project for alterations in the existing Brazilian tariff and which,

> if carried into effect, would give a 20 per cent preferential reduction in favor of all merchandise imported into Brazil from United States.[42]

Os últimos dias de Elihu Root e sua comitiva no Brasil incluíram uma viagem a Santos e à cidade de São Paulo. Porém a visita à cidade de Americana, núcleo dos imigrantes norte-americanos, foi um dos momentos mais emocionantes da sua vida. Philip Jessup escreveu:

> (...) It was coming back from this visit that Root had an experience which after twenty years he still could not describe without a break in his voice and tears in his eyes...A request was received that the train be stopped at a little station known as "American City". There, after the Civil War, had settled one of those small groups of southerners who had felt that exile was preferable to continuing to live under the iron heel of the 'damnyankees'. Most of them were from Alabama. They had settled down, intermarried with Brazilian and were eking out a meager agricultural existence. It was after dark when the train stopped at the little shack of a station...The whole population was assembled, old white bearded survivors of the original exodus from Alabama; their full grown sons, women with babies in their arms, standing in a mass looking up at the cabinet officer from their old fatherland, their faces lighted by flickering torchlight and lanterns...Their aged spokesman said they wanted his advice about returning to the United States. Root was deeply moved as he advised them not to return; they would be strangers in a new South with little chance to fit back into their former life; many of their children spoke only Portuguese; they were committed to the land of their adoption. The old man wept and the women wept, and the torchlight glittered on their steaming faces as the train pulled out of the station, the Secretary of Sate of the United States standing on the rear platform tears running down his cheeks unchecked.[43]

VI : ELIHU ROOT NA ARGENTINA

Apesar da difusão de rumores infundados de que o Brasil, em negociações secretas, buscava garantir a sua hegemonia na América do Sul, "with the United States supporting in secret, if not openly" [44], os argentinos não mediram esforços para celebrarem a visita do secretário de Estado. Diga-se aqui que, naquele tempo, a legação argentina em Washington ainda não tinha sido elevada à condição de embaixada. A chegada de Elihu Root a Buenos Aires foi triunfal. A recepção reuniu multidões nas ruas da capital. Os jornais enalteceram a visita. Um dos momentos de maior brilho foi quando Elihu Root encerrou o seu discurso no banquete oficial oferecido pelo governo argentino. É o que informa o relatório do Departamento de Estado: "(...) he became, at the close of his speech, the object of the most unrestrained ovation that, I am assured, was ever offered to any person in this city... while the ladies in the balconies tore loose all the floral decorations and showered them upon him".[45] O discurso do presidente Figueira Alcorta também não deixava dúvida quanto ao interesse argentino de estreitar laços com os norte-americanos: "We have invited you to visit our territory in order to link the two countries more intimately, and your presence here indicates that this noble object will be realized, inspired as it is by the convenience of mutual interests and the sharing of noble aims".[46]

Na sua resposta, Elihu Root, procurando agradar aos argentinos, acentuou as aproximações entre a história dos dois países: "(...) We inherited the right to be interested in Argentina, and to be proud of Argentina...We live under the same Constitution in substance...There is not a cloud in the sky of good understanding; there are no political questions issue between Argentina and the United States... I know the people of Argentina are friends of the United States. I have come to South America with no more specific object than I have stated".[47]

Durante a visita, possivelmente o discurso mais esperado era o do dr. Luis Drago, presidente do Comitê de Recepção. Drago, de início, elogiou os Estados Unidos: "(...) the greatest nation of the earth, a nation linked to us from the very beginning by many and very real sentiments of moral and political solidarity". Mais adiante, utilizou-se do conceito de América como uma "zona neutra de paz", a mesma tese defendida por Joaquim Nabuco. Em seguida, na presença do secretário de Estado dos Estados Unidos, Luis Drago falou em defesa a doutrina que leva o seu nome:

> And the moment is certainly propitious for drawing closer the bonds of international amity which your excellency's visit puts in relief and which has found such eloquent expression in the Pan-American Congress of Rio de Janeiro. Enlightened patriotism has understood at last that on this continent with its immense riches and vast unexplored extensions, power and wealth are not to be looked for in conquest and displacements, but in collaboration and solidarity... It has understood, morever, that America, by reason of the nationalities of which is composed, of the nature of the representative institutions which they have adopted, by the very character of their people, separated as they have been from the conflicts and complications of European governments, and even by the gravitations of peculiar circumstances and events, has been constituted a separate political factor, a new and vast theater for the development to the human race, which will serve as a counterpoise to the great civilizations of the hemisphere, and so maintain the equilibrium of the world. It is consequently our sacred duty to preserve the integrity of America, material and moral, against the menaces and artifices, very real and effective, that unfortunately surround it.[48]

E então tocava na ferida, saindo em defesa da doutrina que leva o seu nome: "(...) it was in obedience to that sentiment of common defense that in a critical moment the Argentine Republic proclaimed the impropriety of the forcible collection of public debts by European nations, not as an abstract principle value or as a legal rule of universal application outside of this continent". E, surpreendentemente, ao se referir à Europa, Drago finalizava o discurso quase com as mesmas palavras de Rio Branco: "The gratitude we owe to the nations of Europe is indeed very great, and much we still have to learn from them".[49]

O Secretário Root, que até aquele momento tinha evitado o delicado tema, em palavras calculadas e contemporizadoras respondeu ao discurso de Drago:

> (...) I have listened to that part of your speech which relates to the political philosophy of our times, and especially to the political philosophy most interesting to America. Upon the two subjects of special international interest to which you have alluded, I am glad to be able to declare myself in hearty and unreserved sympathy with you. The United Sates of America has never deemed it to be suitable that she should use her army and navy for the collection of ordinary contract debts of foreign governments to her citizens. For more than a century the State Department, the Department of Foreign Relations of the United States of America, has refused to take such action, and that has become the settled policy of our country. We deem it to be inconsistent with the respect for the sovereignty of weaker powers which is essential to the protection against the aggression of strong. We deem the use of force for collection or ordinary contract debts to be an invitation to abuses in their necessary results far worse, far more baleful to humanity than that the debts contracted by any nation should go unpaid. [50]

Em seguida, derramou-se em elogios ao progresso da Argentina, a sua tolerância (*sic*) para com os imigrantes, declarando-se entusiasmado com o progresso do país.

O jornal *La Nación*, que em seus editoriais defendia o pan-americanismo, elogiou o discurso de Elihu Root e informou que até aquele momento o secretário de Estado tinha sido reticente, evitando abordar os postulados da Doutrina Drago: "But in his statements of yesterday he did not hesitate to say that he stands without reserve for the ideas of Doctor Drago, recalling that the United States had... refused to lend the aid of its military to support reclamations arising from private contracts".[51]

A passagem de Root pela Argentina trouxe bons resultados para os norte-americanos. Foi um enorme sucesso diplomático. As palavras do secretário da legação americana em Buenos Aires, Arthur Beaupré, referindo-se à recepção oferecida a Elihu Root pelo governo argentino, resumiram num texto oficial o espírito que animava os diplomatas americanos, logo após Elihu Root ter deixado o território argentino:

> It is impossible to picture the enthusiasm of the audience... Never, I am convinced, in the history of this country, has an Argentine audience been so penetrated by the lofty thought of a speaker... With his speech at the opera Mr. Root's task in the Argentine Republic was accomplished. The Argentine people, as well as the Government, were now convinced of the disinterested intention of the United States; the Monroe doctrine and the Drago were harmonized and given due definition; the Argentine press was disarmed; the Argentine people and those of the United States made friends on the surest of certain foundations – that of mutual acquaintance, understanding, and confidence...[52]

Na continuação da viagem, o secretário Elihu Root ainda visitaria o Chile, Peru, Equador e Colômbia (Cartagena). A sua principal missão, a comercial, havia sido cumprida com êxito. Os produtos norte-americanos passariam a predominar nos mercados sul-americanos a partir de então.

NOTAS

1 *Chicago Tribune*, 10/7/1906.

2 Carta de Elihu Root a Joaquim Nabuco (19/11/1905). Arquivo JN – Fundaj.

3 Jessup, Philip C. *Elihu Root*. Nova York: Dodd, Mead & Company, 193: "(...) He and Nabuco planned a dinner, given by the Ambassador, to a list of guests which he asked Root to draw up for him. There was a tendency to refuse a South-American's dinner invitation and Root carefully rounded the guests, pressing on the Lodges the importance of their attendency".

4 Nabuco, Joaquim. *Diários*, vol. II, 356.

5 Ibidem, 365.

6 "Como tive a honra de dizer a V. Exa., eu não estava presente às primeiras reuniões da Comissão de Estatutos do Bureau". Carta de Joaquim Nabuco a Rio Branco, 23/12/1905.

7 Idem.

8 Pereira, Paulo dos Reis. *A política externa da Primeira República e os Estados Unidos: a atuação de Joaquim Nabuco em Washington (1905 –1910)*. São Paulo: Editora Hucitec/Fapesp, 2006, 94.

9 Jessup, Philip C., op. cit., 472.

10 "(...) Convém governo prevenir-se questão livre navegação rios que os Estados Unidos quer suscitar relativamente Orenoco contra Venezuela". Telegrama de Joaquim Nabuco para o barão do Rio Branco, 16/11/1905. AHI.

11 *Doctrina Drago:* "En una palabra, el principio que quisera ver reconocido, es el que la deuda pública no puede dar lugar a la interpretación armada, ni menos a la ocupación material del suelo de las naciones americanas por una potencia europea" (Luis Maria Drago). Apud Satas, Hugo Raúl. *Una Política Exterior Argentina*. Buenos Aires: Hyspanamérica, 1987, 171.

12 Carta de Joaquim Nabuco ao sr. Griscom. Fundaj: Arquivo JN CAP 36 doc 717 ª 4g2.

13 Satas, Hugo Raúl, op. cit., 190: "El problema central de la conferencia de Rio se relacionaba con el cobro de la deuda pública por la fuerza, esto es, con la Doctrina Drago. Sin embargo, cumpliendo con los deseos del secretario de Estado norte-americano Root, la cuestión fue transferida a la Segunda Conferencia de la Haya".

14 Carta de Joaquim Nabuco para o barão do Rio Branco, 1/3/1906. AHI.

15 FONTE INTERNET: Sheinin, David. *Flaccid Anti-Americanism: Argentine Relations with the United States at the Turn of the Century*, in The Meeting of the Latin American Studies Association: Guadalajara, México, 1997, 14.

16 Pereira, Paulo, op. cit., 143.

17 "Dentro de la corriente pro-norteamericana, el diario *La Nación* se ocupó regularmente en destacar las bondades de la doctrina: 'La legitimidad de este principio está arriba de toda discusión, y el desconocimiento del mismo sería cuestión de vida ó muerte para la independencia de la mayor parte de América, pues los dilatados y poco poblados territorios que encierra se reparten entre varios estados que, aisladamente, no estarían en condiciones de resistir a la agresión de una gran potencia extranjera'". Apud Satas, Hugo Raúl. *Una Política Exterior Argentina*. Buenos Aires: Hyspanamerica, 1987.

18 "Cuando analizamos la corriente antiamericana, debemos recurrir obligatoriamente a Carlos Pellegrini. Éste, en un artículo publicado en *Le Figaro* de París, el 26 de diciembre de 1904, advertía que la doctrina había nacido en consecuencia de las actitudes de la Santa Alianza, pero como 'aujourd'hui, is n'y a plus de Sainte-Alliance' (hoy, no existe la Santa Alianza), se hacía necesario estalecer que 'personne, en fin, ne menace notre régime republicain et, par conséquent, la doctrine de Monroe n'a plus de sens ni d'objet, en ce qui concerne l'Amérique du Sud'. (Nadie amenaza nuestro régimen republicano y, en consecuencia, la doctrina de Monroe no tiene sentido ni objeto en lo concierniente a América del Sud)". Apud Satas, Hugo Raúl. *Una Política Exterior Argentina*, 157.

19 Sheinin, David. *Flaccid Anti-Americanism: Argentine Relations with the United States at the Turn of the Century*. Trent University, 1997.

20 "Ainda não recebi de V. Exa. nenhuma palavra com relação a essa visita; recebi somente a manifestação do seu interesse pela reunião do congresso aí. Espero assim com ansiedade o pronunciamento de V. Exa. sobre a ida do secretário de Estado ao Brasil". Carta de Joaquim Nabuco para o barão do Rio Branco, 23/12/1905.

21 Despacho para Washington. Rio Branco para Joaquim Nabuco, datado de 30/3/1906. AHI.

22 Jessup, Philip C., op. cit., 472.

23 Carta de Joaquim Nabuco a Rodrigues Alves, 18/12/1905. Arquivo JN, Cehibra – Fundaj.

24 Root, Elihu. *The Citizen's Part in Government*. Nova York: Charles Scribner's Sons, 1907, 27.

25 Recife, no dia 22 de julho e, em Salvador, 24 de julho 1906.

26 Idem, 475.

27 *Kosmos, Revista Artística, Scientífica e Literária*. Ano III, nº 8, agosto de 1906.

28 Idem.

29 *Papers Relating to the Foreign Relations of The United States*, parte I. Washington: Government Printing Office, 1906, 127.

30 Idem, 127.

31 Idem, 128.

32 Idem, 128.

33 Jessup, Philip C., op. cit., 481.

34 Discurso de Rio Branco na abertura da III Conferência Pan-americana.

35 *Kosmos, Revista Artística, Scientífica e Literária.* Ano III, nº 8. Rio de Janeiro, agosto 1906.

36 Idem.

37 *Papers Relating to the Foreign Relations...*, 133.

38 Jessup, Philip C., op. cit., 483.

39 *Papers Relating to the Foreign Relations...*, 134.

40 Idem, 134.

41 Idem, 135.

42 Idem, 134-135.

43 Jessup, Philip C., op. cit., 487.

44 Idem, ibid.

45 *Papers Relating to the Foreign Relations...* (Argentina), 25.

46 Idem, 26.

47 Idem, 27.

48 Idem, 28.

49 Idem, ibidem.

50 Idem, 29.

51 Idem, 31.

52 Idem, 24.

BIBLIOGRAFIA

BURNS, Bradford E. *A Aliança não-escrita: O barão do Rio Branco e as relações Brasil-Estados Unidos*. Rio de Janeiro: EMC, 2003.

JESSUP, Philip C. *Elihu Root*. Nova York: Dodd, Mead & Company, 1938.

LINS, Álvaro. *Rio Branco – Biografia*. Rio de Janeiro: Companhia Editora Nacional, 1945.

NABUCO, Joaquim. *Diários*, vol. II. Rio de Janeiro/Recife: Editora Bem-Te-Vi/ Editora Massangana-Fundaj, 2005.

NABUCO, Maurício. *Reflexões e Reminiscências*. Rio de Janeiro: Instituto de Documentação, Editora Fundação GetúlioVargas, 1982.

PEREIRA, Paulo dos Reis. *A política externa da Primeira República e os Estados Unidos: a atuação de Joaquim Nabuco em Washington (1905 –1910)*. São Paulo: Editora Hucitec/Fapesp, 2006.

SATAS, Hugo Raúl. *Una Política Exterior Argentina*. Buenos Aires: Hyspanámerica Ediciones Argentina S. A., 1987.

Fonte Internet:

SHEININ, David. *Flaccid Anti-americanism: Argentine Relations with the United States at the Turn of the Century*, in the Meeting of the Latin American Studies Association. Guadalajara, México: 1997.

University of Wisconsin Digital Collection

Dept. of State of USA – Papers Relating to the Foreign Relations of The United States: part I, 1906.

Periódicos:

Kosmos, Revista Artística, Scientífica e Literária. Ano III, nº 8. Rio de Janeiro: agosto 1906.

Jornais:

Diário de Pernambuco (Recife), edição de 23 de julho de 1906.

Arquivo Joaquim Nabuco da Fundação Joaquim Nabuco – Cehibra – Didoc.

Arquivo Histórico do Itamaraty (Ministério das Relações Exteriores do Brasil).

AS CONFERÊNCIAS NORTE-AMERICANAS DE JOAQUIM NABUCO: PARA UMA LEITURA CONTEMPORÂNEA DE *OS LUSÍADAS*, DE LUIS DE CAMÕES

Norman Valencia

ENTRE 1908 E 1909 JOAQUIM NABUCO, então embaixador brasileiro nos Estados Unidos, proferiu várias conferências em algumas das mais prestigiosas universidades do país, como Yale, Cornell, Chicago e Wisconsin. Essas palestras tratavam basicamente de dois assuntos: a obra de Luis de Camões (incluindo tanto sua poesia lírica quanto seu épico clássico *Os Lusíadas*) e a relação entre as Américas do Norte e do Sul, do ponto de vista diferenciado de um brasileiro cosmopolita que fez carreira na França, Inglaterra, Brasil e América do Norte. Embora esses dois assuntos pareçam distantes, pretendo mostrar que na verdade são duas partes inter-relacionadas de uma reflexão bastante perspicaz.

Nabuco optou por falar sobre Camões, e mais especificamente sobre *Os Lusíadas*, a fim de aumentar o número de seus leitores no meio acadêmico norte-americano. O grande épico português sempre ocupou um lugar um tanto quanto ambíguo no cânone ocidental. Seu tom épico, sua apropriação das tradições latina e cristã e seu papel central na identidade literária de uma nação europeia garantem a Camões um lugar no panteão contemporâneo dos autores canônicos. No entanto, a questão sobre o real número de leitores do épico está sempre presente. Quantas pessoas de fato leram o poema? Ele teria um número de leitores comparável a Dante, Shakespeare ou Cervantes?

Será que possui o mesmo "capital cultural", para usar a expressão de Pierre Bourdieu, de outros textos canônicos da tradição ocidental?

Os estudiosos de Camões geralmente respondem negativamente à última pergunta, e isso vale principalmente para o mundo anglófono. Em 1963, Thomas R. Hart afirmou, por exemplo: "No entanto, hoje *Os Lusíadas* é praticamente desconhecido dos leitores de língua inglesa; faz parte daquele vasto grupo de livros de que a maioria das pessoas já ouviu falar, mas por algum motivo nunca teve a oportunidade – ou, para ser honesto, o desejo – de ler." (Hart 1) Algo semelhante aconteceu na virada do século, segundo Nabuco. Uma de suas conferências de Yale (proferida em 14 de maio de 1908), justamente intitulada "O lugar de Camões na literatura", começa mostrando que a relevância do poema é garantida em qualquer cultura onde sejam preponderantes elementos latinos. O século XX, porém, assistiu à influência crescente das nações anglo-saxônicas, algo que poderia alterar o papel cultural do épico lusitano. Diante disso, Nabuco decide fornecer a estudantes e intelectuais norte-americanos novas ferramentas para ler *Os Lusíadas*. "Parece que os estudantes americanos precisam de algum tipo de estímulo para ler Camões, que sempre foi praticamente um estranho, apesar de ter sido introduzido pelo próprio Longfellow." (Nabuco, *Place* 1)

Uma das primeiras dificuldades que Nabuco vê para um resgate norte-americano do clássico é a especificidade tanto do poema quanto do poeta:

> Falando dele especificamente, o poeta tem, perante qualquer plateia não versada em português, várias outras desvantagens numa competição. Ele é acima de tudo o poeta de uma nação; esse não foi somente seu destino, foi sua ambição, e, como poeta de Portugal, sofre da falta de interesse geral na raça portuguesa, no papel que desempenhou na história, em sua individualidade. O mundo fica sempre fascinado ao ouvir referências a Grécia, Roma, Repúblicas italianas da Idade Média, e isso confere um brilho especial a *Ilíada*, *Eneida*, *Divina Comédia*. (2).

De acordo com Nabuco, há várias razões históricas para explicar por que a nação portuguesa não exerce o mesmo fascínio que outras culturas. Até mesmo uma de suas proezas mais características, a navegação dos mares que levou à descoberta de novas terras pelos europeus, é obrigada a competir com outras narrativas que a suplantaram. Nabuco refere-se especificamente à descoberta da América: "Para os americanos, Vasco da Gama é uma figura secundária a Colombo. O verdadeiro interesse dos Descobrimentos, para nós, está em cruzar o Atlântico e encontrar a América." (2) Esses são apenas alguns dos elementos que fazem d' *Os Lusíadas* um texto clássico que parece ocupar um lugar secundário entre as grandes obras da literatura ocidental.

Isso é encarado como um desafio por Nabuco. Ciente dessas dificuldades, ele tentará encontrar elementos para incentivar o leitor americano a ler o poema. Uma de suas primeiras estratégias será refutar algumas ideias erradas sobre a obra de Camões. Alguns leitores poderiam pensar que *Os Lusíadas* é essencialmente um texto sobre as viagens e as façanhas do próprio Vasco da Gama. Para Nabuco, é necessário expandir essa noção para fazer justiça ao épico: "A viagem de Vasco da Gama é somente um episódio do poema; a divindade ao qual é consagrado, seu herói coletivo, é "o peito ilustre lusitano, a quem Netuno e Marte obedeceram." (6) O leitor desse texto épico tem acesso aos principais acontecimentos históricos de toda uma nação. Trata-se, na verdade, de um texto sobre o desenvolvimento histórico de um país, não sobre as ações de um homem:

> Como todo verdadeiro poema nacional, *Os Lusíadas* é cíclico. Seus fragmentos são as lendas do país, sendo que cada uma parece ser a lenda principal enquanto é cantada. O sentimento nacional é tão forte no poeta que, tanto na abertura quanto no fechamento do poema, ele pensa em outro grande evento para declamar. O título admitiria tantos cantos quanto os feitos heroicos portugueses. Outro poeta poderia até mesmo continuar o poema, se existisse outro como ele. (6)

Devido a seu título e às aspirações ambiciosas do seu autor, *Os Lusíadas* poderia ser ampliado, na medida em que busca tornar-se o sumário do desenvolvimento de uma nação. Uma interpretação ativa do texto incluiria a liberdade de imaginar como poderia continuar e que outras histórias poderia contar. O objetivo de Nabuco, como podemos ver, é concentrar-se nas possibilidades criativas do leitor quando confrontado por um poema canônico, embora um tanto quanto esquecido. Uma dessas possibilidades é expandir o próprio poema e fazê-lo contar outras histórias sugeridas pelo original.

Nessa conferência, Nabuco defende algumas das forças estéticas de Camões, incluindo sua representação do mar e das novas terras, assim como seu uso incomparável de elementos eróticos, tanto em seus textos líricos quanto no épico. Porém, em vez de insistir nesses aspectos estéticos, ele decide concentrar-se na recepção, nos elementos que tornariam possível uma leitura verdadeiramente norte-americana do poema nacional português. Essa reflexão começa com outro tema que Camões descreve magnificamente em sua obra: a imagem de uma nação que está prestes a se tornar um Império.

> A terceira grande impressão é a construção do Império e o poderio marítimo. Camões fez por Portugal o que os poetas ingleses nunca fizeram pela Inglaterra, mas, ao fazê-lo por sua própria nação, ele celebra toda a expansão colonial da Europa. *Os Lusíadas* é o poema da colonização, da viagem para terras longínquas, e portanto o poema da construção do Novo Mundo. Ele expressa toda a lei da imigração, o maior evento da história moderna, num único verso: "Que toda a terra é pátria forte." (12)

Nabuco sugere que na tradição anglo-saxônica, incluindo os Estados Unidos, nunca existiu um autor que realizasse uma obra semelhante à de Camões. Na verdade, a própria descoberta do Novo Mundo carece de um poeta que pudesse narrar, num tom épico, e com a destreza estética e o reconhecimento universal de Homero,

Virgílio ou Dante, as façanhas da conquista e colonização das Américas. Camões poderia ser visto, então, como *o* poeta moderno, não só da expansão colonial, mas também de viagens e migrações que, de acordo com Nabuco, são elementos centrais da história contemporânea. Ele parece sugerir aos leitores americanos que leiam *Os Lusíadas* não só como o épico da nação portuguesa, mas como um texto emblemático para todas as migrações e expansões modernas, principalmente as que dizem respeito ao continente americano. Em suas próprias palavras, "As duas costas que os LUSÍADAS parecem destinados a ligar não são propriamente as da Europa e da Ásia, mas sim da Europa e da América, pois, como tantas vezes foi afirmado, os LUSÍADAS é o poema do comércio e da indústria, o poema da Era Moderna, e em tudo isso o papel da América é e sempre será maior que o da Ásia." (12) Os leitores norte-americanos certamente entenderam que este era o modelo de leitura proposto por Nabuco: uma resenha de sua conferência, publicada em 8 de agosto de 1908, no *New York Times*, intitulava-se: "Camões, poeta do Novo Mundo", com o subtítulo: "O Embaixador brasileiro, Joaquim Nabuco, destaca o ideal essencialmente americano de *Os Lusíadas*". (Cary, 1)

Nesse ponto começamos a entrever como os dois tópicos das conferências norte-americanas de Nabuco, Camões e a relação entre as duas Américas, estão, na verdade, interligados. Ele quer oferecer ao leitor americano um modelo de recepção que lhe permita ver *Os Lusíadas* como um texto "americano", um texto que pudesse falar sobre o Império Português e, ao mesmo tempo, sobre a história do continente americano, especificamente sobre os Estados Unidos. Eu argumentaria, porém, que ele parece estar falando sobretudo de uma história futura, não passada. Em outras palavras, ele se refere aos Estados Unidos como um país que já estava se tornando um império hemisférico, uma nação que logo precisaria de um modelo para um bardo imperial. Camões poderia ser visto então como esse modelo, como um poeta para o futuro dos Estados Unidos.

A ideia do crescimento imperial dos Estados Unidos não era certamente um tema novo na história intelectual da América Latina.

Em 1908, alguns de seus maiores escritores já haviam feito observações contundentes sobre os Estados Unidos como um futuro império. Na época, os intelectuais latino-americanos haviam comentado sobre a Doutrina Monroe (1840), por meio da qual os Estados Unidos opunham-se a um processo de reconquista por parte dos países europeus, e o Corolário Roosevelt (1904), que defendia o direito de os Estados Unidos intervir à força nos países latino-americanos com conflitos internos e externos. Em *Nuestra América* (1891), José Martí afirmava:

> El desdén del vecino formidable, que no la conoce, es el peligro mayor de nuestra América; y urge, porque el día de la visita está próximo, que el vecino la conozca, la conozca pronto, para que no la desdeñe. Por ignorancia llegaría tal vez a poner sus manos en ella. Por el respeto, luego que la conociese, sacaría de ella sus manos. (Martí, *América* 32)[1]

Em 1905, Rubén Darío escreveu versos memoráveis sobre o mesmo assunto em seu livro *Cantos de Vida y Esperanza*, num momento em que seu esteticismo refinado deu lugar à reflexão política. Em seu poema intitulado "A Roosevelt":

> Eres los Estados Unidos
> Eres el futuro invasor
> De la ingenua América que tiene la
> sangre indígena,
> Que aún reza a Jesucristo y habla en
> español. (Darío, *Azul* 202)

> Vocês são os Estados Unidos
> Vocês são o futuro invasor
> Da ingênua América que tem o
> sangue indígena,
> Que ainda reza para Jesus Cristo e fala em
> espanhol. (Darío, *Poems* 167)

E então, em um poema intitulado "Los Cisnes", da mesma coleção, Darío faz a pergunta crucial: "¿Tantos millones de hombres hablaremos inglés?" (Darío, *Azul* 213) ("Tantos milhões de homens, falaremos todos inglês?" (Darío, *Poems* 175))

As conferências de Nabuco de 1908–1909 o inserem numa tradição latino-americana de diálogo intelectual e político sobre o papel dos Estados Unidos no continente. Sua posição, porém, não é a mesma de Martí ou Darío. Em sua conferência de 1909 na Universidade de Wisconsin ("The Share of America in Civilization"), ele claramente vê como produtiva a possibilidade de um continente pan-americano unificado. Também afirma que isso somente poderia ocorrer como uma expansão dos ideais e políticas norte-americanos:

> Permitam-me expressar minha convicção de que nada faria mais para semear o espírito de paz na mente dessa grande nação do que o pan-americanismo. Fazendo do pan-americanismo sua política externa declarada, assim como aconteceu com a Doutrina Monroe, seu movimento reflexo, não só a nação desposaria a paz, mas também a estenderia ao resto do continente, e essa tarefa ocuparia o tempo ainda necessário para que a humanidade repudie a guerra. A paz e o pan-americanismo são termos intercambiáveis para vocês e para nós. (Nabuco, *Share* 57)

Em outras palavras, os Estados Unidos teriam que liderar e garantir esse "casamento", assim como fizeram com a Doutrina Monroe. A relação seria mutuamente benéfica, mas não seria totalmente equilibrada e igualitária. Para Nabuco, o sonho de Bolívar de um continente pan-americano seria realizado principalmente através da forte influência norte-americana na região.

Agora podemos retomar *Os Lusíadas* como o centro das meditações de Nabuco, e seu peculiar modelo para a recepção do épico português. Segundo ele, os leitores norte-americanos deveriam conhecer a obra não só por sua beleza e prestígio, mas porque poderia tornar-se o modelo poético para o próprio futuro deles. Não se trata somente de um texto antigo e venerável sobre um país cuja glória extinguiu-se. Também poderia ser lido como um texto contemporâneo que abarca alguns dos elementos essenciais da própria história norte-americana: migrações, expansão imperial e contatos com outros países e culturas.

Poderíamos criticar essa recepção do clássico de várias maneiras. Duas parecem evidentes e apontam para um problema central: a apropriação de uma tradição que não é própria. A pergunta é se um leitor teria o direito de imaginar que um épico do século XVI possa ser uma meditação sobre uma nação em expansão do século XX. Será esse um movimento hermenêutico válido? Essas perguntas poderiam ser ampliadas para o âmbito da política. Não seria essa, por si só, uma ação imperialista? Não estaria a leitura de Nabuco sugerindo que as nações poderosas poderiam, egocentricamente, reivindicar toda tradição cultural como própria?

Cada uma dessas perguntas exige uma resposta separada. A primeira pertence ao reino da leitura e interpretação literária: devemos ver a proposta de Nabuco como uma leitura incorreta? Parecem existir elementos para responder a essa pergunta negativamente. Se acompanharmos a história da recepção literária, da leitura como uma atividade historicamente determinada que cria uma vida independente para todo texto literário, veremos que algumas das grandes interpretações dos clássicos foram, ao mesmo tempo, apropriações radicais de outras tradições. Em sua *Commedia*, Dante reescreve a obra de Virgílio em termos cristãos. O resultado da obra, sua perfeição formal e conceitual, somente poderia ser entendida como uma apropriação da *Eneida*, como uma reelaboração ou até mesmo uma tentativa de substituir o original. *Dom Quixote* também é uma leitura agressiva que reestrutura e modifica textos do passado, enquanto despede-se deles melancolicamente. E, ainda mais importante, o próprio *Os Lusíadas* deveria ser lido como uma apropriação agressiva do passado. Camões também trabalha sobre textos clássicos, e o faz desafiando os grandes poetas e suas tradições, usando o passado como próprio. Os seguintes versos do primeiro canto do poema são um exemplo expressivo desse tipo de leitura:

> Cessem do sábio Grego e do Troiano
> As Navegações grandes que fizeram;
> Calhe-se de Alexandro e de Trajano
> A fama das vitórias que tiveram:
> Que eu canto o peito ilustre lusitano,
> A quem Neptuno e Marte obedeceram!
> Cesse tudo o que a musa antiga canta,
> Que outro valor mais alto se alevanta! (I, 3)

Camões usa as próprias convenções literárias de Virgílio para enfrentá-lo e cantar a superação da poesia e do poder histórico romanos, suplantados pela nação portuguesa. Sua leitura é sem dúvida agressiva, mas é característica da recepção literária dos grandes clássicos do Ocidente, de Homero e Virgílio a James Joyce e Derek Walcott. A modesta proposta de Nabuco, precursora da leitura antropofágica modernista no Brasil, não deve ser considerada simplesmente errada ou inválida. Faz parte de um jogo hermenêutico que é essencial para o próprio poema de Camões. Sua obra é uma apropriação forte e heterodoxa de textos latinos e cristãos. Um leitor que segue o conselho de Nabuco está simplesmente reelaborando o poema nos termos de sua própria construção. Imaginar que o épico lusitano fale do mundo moderno nesses termos é a maneira ideal de resgatar um clássico que não é muito lido.

A segunda pergunta seria mais ética e política. Uma nação poderosa decide aceitar que um grande texto literário de outra tradição cultural poderia ser lido como próprio. Não seria essa outra forma de imperialismo e até mesmo de violência colonial? Essa seria, na minha opinião, uma leitura que simplifica todas as nuances envolvidas num texto como *Os Lusíadas*. O fato de que um leitor norte-americano poderia ver o poema como uma meditação sobre o presente e o futuro dos Estados Unidos não significa, de imediato, que este seja um ato de pura dominação. Camões, justamente por causa dessa variedade de registros poéticos, não será reduzido simplesmente a uma leitura triunfante do Império e da expansão colonial. Ele certamente escreveu um texto épico para imortalizar os grandes feitos de sua nação. No entanto, é preciso lembrar que o texto termina quando o poeta volta para casa após um longo período no exílio, para então descobrir que tanto o projeto imperial quanto a glória do povo lusitano iniciaram um inevitável declínio. Um dos elementos que tornam o épico mais rico e humano é a consciência final de que tudo o que parecia eterno é, na verdade, passageiro e fugaz. Camões assistiu tanto à ascensão quanto ao início da queda do seu país. Nabuco chama claramente atenção para esses dois momentos.

> O poema, porém, agora estava completo, e ele podia ver em seu manuscrito a deslumbrante riqueza que acumulara durante aqueles longos anos de sofrimento paciente; ele dera asas à prosa de Castanheda e João de Barros, de tal forma que a glória de Portugal não estaria mais oculta para o mundo em língua portuguesa, e quando embarca para Lisboa, depois de um exílio de 16 anos na Ásia, a esperança de um reconhecimento nacional sorri novamente para ele, mas sem o fervor da mocidade. Que decepção! A nação já estava em seu leito de morte. Não podia mais sentir a mensagem de imortalidade que ele trazia – não acolhia quem tentava conduzi-la para a ação heroica ou fama imortal, e ele pronuncia seu "No´ mais, no´ mais!" (Nabuco, *Place* 22–23)
>
> No´mais, Musa, no´mais: que a lira tenho
> Destemperada, e a voz enrouquecida,
> E não do canto, mas de ver que venho
> Cantar a gente surda e endurecida.
> O favor, com que mais se acende o engenho,
> Não no dá a Patria, não, que está metida
> No gôsto da cobiça e na rudeza
> De ũa austera, apagada, e vil tristeza. (x 145)

Esse momento do poema mostra que o texto de Camões não é simplesmente a celebração de poderes imperiais. Também contém uma reflexão breve, porém eficaz, sobre a contingência de tais empreendimentos. Mostra como até mesmo os países mais poderosos são obrigados a enfrentar os caprichos da fortuna, com os momentos em que o poder ilimitado começa a se dissolver e a migrar. Nesse sentido, quando Nabuco sugere que *Os Lusíadas* seja lido como uma reflexão sobre a história contemporânea dos Estados Unidos, não está simplesmente afirmando que o leitor norte-americano poderia "conquistar" o texto à maneira imperialista. O épico de Camões não será colonizado por essa leitura ingênua. Se é um texto que fala sobre o futuro dos Estados Unidos, então inclui tanto a grandeza do poder imperial quanto seu possível declínio, o momento em que o esplendor passa a ser apenas uma lembrança nostálgica. Quem herda o clássico lusitano herda também essa ascensão e queda do Império e uma clara lição sobre a transitoriedade do poder.

Isso nos levaria a uma leitura mais precisa do modelo de recepção de Nabuco para *Os Lusíadas*. A ideia de que um leitor pudesse interpretar o poema como uma reflexão sobre o papel dos Estados Unidos na história moderna não deve ser vista como um ato ingênuo de apropriação. Esse leitor também deveria aceitar as melancólicas advertências implícitas nas texturas nuançadas da poesia de Camões. É através dessas nuances que a proposta de Nabuco adquire seu grande valor cultural, mesmo hoje. O leitor contemporâneo deveria conhecer o épico não só para apreciar uma representação majestosa dos esplendores do Império, mas também para descobrir suas contradições, seus problemas éticos e políticos, e até mesmo sua contingência fundamental. É por essa razão que acredito que Nabuco não escolheu os dois temas de suas conferências norte-americanas ao acaso. Ainda hoje, cem anos depois da sua visita a esta Universidade, é possível acompanhar seu raciocínio e ver o futuro dos Estados Unidos e seu envolvimento na civilização secretamente inscritos nesse clássico do século XVI.

Em outra conferência ("Approach of the Two Americas", Universidade de Chicago 1908), mais uma vez dedicada ao papel dos Estados Unidos no continente, Nabuco afirmou: "Permitam-me externar a esperança de que em todos os países nossos escritores considerem a sensibilidade das outras nações. A empatia sempre é necessária para se fazer o bem. Em primeiro lugar, deveríamos aprender a tolerar a diversidade na raça humana. O mundo estaria muito próximo do fim se todos os países falassem a mesma língua." (Nabuco 470) O modelo de Nabuco para uma recepção norte-americana de *Os Lusíadas* deve ser lido nos termos que ecoam a pergunta de Darío: "Tantos milhões de homens, falaremos todos inglês?". Não se trata meramente de uma apropriação imperial de um texto canônico. Representa, mais propriamente, a oportunidade de um país conhecer a ampla gama de experiências humanas e as oscilações na história e no exercício do poder, por meio das lições de um mestre eloquente: um poeta português que falou como nenhum outro sobre as contradições de uma nação moderna em constante processo de expansão e viagem.

NOTAS

1 O desdém do formidável vizinho, que não a conhece, é o perigo maior para a nossa América; e urge, pois o dia da visita está próximo, que o vizinho a conheça, e rápido, para que não a desdenhe. Por ignorância chegaria talvez a pôr suas mãos sobre ela. Por respeito, assim que a conhecesse, tiraria suas mãos dela. (Martí, Writings 295)

BIBLIOGRAFIA

CAMÕES, Luis de. *Os Lusíadas*. Lisboa: Ministério da Educação, 1989.

_____. *The Lusiads*. (Sir Richard Burton, trans.) Londres: Bernard Quatrich, 1880.

CARY, Elisabeth L. "Camoens, Poet of the New World". *New York Times*, 8 de agosto, 1908.

DARÍO, Rubén. *Azul, Cantos de Vida y Esperanza*. Madri: Colección Austral, 1992.

_____. *Selected Poems of Rubén Darío*. (Alberto Acerda and Will Derusha, trans.) Lewisburg: Bucknell University Press, 2001.

HART, Thomas R. "The Lusiads and the Modern Reader." *The Emory University Quarterly* XIX.1 (1963); 1-7.

MARTÍ, José. *Nuestra América*. Caracas: Biblioteca Ayacucho, 1985.

_____. *Selected Writings*. (Esther Allen ed.) Nova York: Penguin, 2002.

NABUCO, Joaquim. "The Place of Camoens in Literature". Ts. Beinecke, 1974, 462, Beinecke Rare Book and Manuscript Library, New Haven.

_____. "The Share of America in Civilization". *American Historical Review*. Vol 15, nº 1, 1909, 54-65.

_____. *Approach of the Two Americas*. Nova York: Association for International Conciliation, American Branch, 1908.

III : *A escolha pela diplomacia*

IDEALISMO CONTINENTAL E PRAGMATISMO NACIONAL NA DIPLOMACIA DE JOAQUIM NABUCO[1]

Paulo José dos Reis Pereira

> Tem sido um milagre histórico a conservação do imenso todo chamado Brasil. Até hoje isso foi, em grande parte, obra da fortuna, mas dora (sic) em diante será preciso que a ajudemos com outras forças além das nossas, pois hoje os solitários quase vivem somente por condescendência e amanhã, *voe soli*![2]

I : JOAQUIM NABUCO EMBAIXADOR: EMBATES COM RIO BRANCO

Em junho de 1904, Nabuco, então chefe da legação de Londres e da missão especial em Roma que defendia o Brasil no litígio fronteiriço com a Guiana Inglesa, recebeu uma carta de Rio Branco, então ministro das Relações Exteriores, convidando-o para ocupar o futuro cargo de embaixador em Washington. Nabuco recebeu a notícia com certo espanto, ignorando os propósitos envolvidos nessa mudança.[3] De fato, Londres ainda era o posto de maior relevância na política exterior brasileira e, além disso, Nabuco era conhecido por seu europeísmo, no qual "as paisagens todas do Novo Mundo, a floresta amazônica ou os pampas argentinos, não valem (...) um trecho da Via Appia, uma volta da estrada de Salermo a Amalfi, um pedaço do cais do Sena à sombra do velho Louvre".[4] Assim, Nabuco chegou mesmo a lastimar o infortúnio de tal proposta.[5]

Aceitou a ideia, no entanto, como uma obrigação patriótica, que deveria cumprir como consequência de uma decisão de trabalhar pelo Estado brasileiro sob a República.[6] Invocava a concepção reinante no Império de que o trabalho consular e diplomático era devido à nação e não aos regimes políticos. Encarnava essa tarefa como algo reservado aos procuradores de uma época ideal, perdida no século XIX, referenciada no Império brasileiro e no equilíbrio de d. Pedro II.[7]

É necessário ter em conta, também, que o malogro no litígio anglo-brasileiro de 1904, decretado pelo rei Vítor Emanuel III, alertava para o desgaste da posição brasileira na Europa. Possibilidades novas de ação poderiam surgir em Washington, pela ascendência dos EUA no cenário internacional em um momento considerado por ele de reconfiguração do sistema mundial, e que trazia uma convicção nascente, pouco a pouco mais presente, de que uma política americana em moldes monroístas tornava-se cada vez mais necessária ao Brasil.

Quando Rio Branco convidou Nabuco para ocupar o recém-criado cargo de embaixador em Washington, dando corpo a um dos eixos essenciais da sua política externa com a aproximação aos Estados Unidos, o fez reconhecendo o antigo amigo como um diplomata completo para tal empresa. Fisicamente, pelo seu porte europeu, ele passaria uma imagem moderna e ocidentalizada da elite brasileira. Intelectualmente, Nabuco já defendia um claro e enfático monroísmo. A isso deve ser somado o fato de que Nabuco era uma grande personalidade política nacional, louros conquistados pela sua extensa campanha em prol do abolicionismo.

A embaixada brasileira em Washington, criada em 1905, é a materialidade da aproximação que Rio Branco buscou ter com os Estados Unidos. Evidenciava-se como uma estratégia de política externa que teria como função essencial ajudar a viabilizar os interesses principais de uma política sub-regional e nacional.[8] A definição de limites com os países fronteiriços tornara-se um ponto fundamental, uma vez que tais problemas eram os mais visíveis da época em que Rio Branco assume o Ministério. Rio Branco acreditava que o apoio ou, ao menos, a neutralidade norte-americana facilitaria essa tarefa, aumentando a capacidade de manobra do Brasil no jogo diplomático sul-americano.[9]

A importância para o âmbito nacional adviria do fato de a aproximação contemplar os interesses da elite cafeeira.[10] Buscava-se, assim, a manutenção da dependente economia nacional de produtos primários. Os Estados Unidos eram, por essa época, os nossos maiores compradores mundiais. Em 1906, esse país recebeu 37,9% da safra brasileira, situação motivada pela ausência de taxação do produto, enquanto a Alemanha, segunda melhor compradora, não chegou a 22%.[11] O interesse do Itamaraty era obviamente manter esse *status quo* e, caso isso não fosse possível, utilizá-lo como moeda de troca.

Rio Branco, um conservador dirigido pelo pragmatismo, conseguiu, assim, um espaço internacional próprio para o Brasil no continente, servindo muitas vezes de intérprete dos objetivos norte-americanos para o resto da América Latina.[12] Os debates em torno da Doutrina Monroe e sua incorporação como proposta hemisférica são os mais interessantes a esse respeito. Ao contrário de uma formulação unilateral que focava somente a defesa do interesse nacional norte-americano, Rio Branco encarava-a como uma via de aproximação entre os países americanos. Mas rejeitava tal doutrina quando se expressava como um princípio particular do continente que nos separava da Europa.[13] Para o ministro, a tradição do Velho Mundo não poderia ser descartada por países novos que buscavam firmar-se como unidades autônomas no sistema internacional moderno. Nossa história passada e futura estaria atrelada a esse continente europeu. Nesse sentido não é possível falar que a criação da embaixada de Washington tenha simbolizado uma mudança do eixo diplomático brasileiro da Europa para a América. É mais correto defini-la como a aceitação de um novo polo de poder mundial que necessitava de especial atenção.

Entre 1905 e 1910, o primeiro embaixador brasileiro nos Estados Unidos atuou de maneira propositiva, marcando posição sobre os rumos que a política externa deveria seguir. Com isso surgem conflitos com Rio Branco, tanto de ordem pessoal quanto política. Tais embates foram motivados essencialmente pela percepção de que o ministro não tinha planos concretos para a continuação da proposta de relação bilateral iniciada e incentivada com a criação da embaixada. Faz sua primeira reclamação sobre tal desatenção alguns meses após a assunção do cargo.

> O Rio Branco, esse, não me escreve, nem me diz nada, de modo que não posso conjecturar coisa alguma quanto aos planos e pensamento dele.[14]

Sentir-se apartado dos projetos de Rio Branco levou Nabuco a formular concepções próprias e tentar ações autônomas, o que pode ser visto no caso da canhoneira Panther em 1905 e nos preparativos para a III Conferência Pan-americana celebrada no Rio de Janeiro. Em ambos os casos, Nabuco buscou um tom mais drástico, uma tentativa explícita e, para alguns, abrupta, de transparecer uma aliança irrestrita com os Estados Unidos. Nabuco considerava que

> Não teria obtido nada se me cingisse às instruções que ele me tem mandado e não procurasse chegar aos fins desejados por outros meios... A prática de Rio Branco é reduzir o agente a porta-voz [15].

A diferença de postura política de ambos se relaciona tanto com suas respectivas personalidades, quanto com as diferenças de perspectivas ou ângulos de onde enxergavam a situação. Rio Branco, como ministro, tinha que relativizar a importância dos Estados Unidos para dar atenção a uma série de outras questões que iam do relacionamento com os países europeus, especialmente a Inglaterra, nossa maior credora, até a política de vizinhança sul-americana, cheia de detalhes complicados e essenciais para a manutenção do papel preponderante do Brasil. Nabuco, por sua vez, via, a partir de Washington, através de uma lente que alocava a união americana e o alinhamento com os Estados Unidos como pilares da ação internacional do Brasil.

II : CONCEPÇÕES DE NABUCO ENTRE O IDEALISMO LIBERAL E O REALISMO

As ações próprias de Nabuco como embaixador, até mesmo desafiando em alguma medida os projetos de Rio Branco, estiveram informadas por uma série de concepções políticas, formuladas pouco a pouco a partir da reapropriação de suas experiências de vida, lidas de um prisma fornecido pelo observatório de Washington "que seria em tal conjuntura o mais importante de todos".[16] Elas retratam a incorporação das duas correntes essenciais da política internacional da época: o idealismo liberal e o realismo pragmático, extremos expressos tanto pelo pacifismo de Woodrow Wilson e Norman Angell, o primeiro pela ótica política e o segundo pelo viés intelectual, quanto pelo prenúncio das guerras mundiais calcado na corrida armamentista e no conceito de paz armada, explicitado nos escritos de Edward Carr.

Nabuco, quando da aceitação do cargo de diplomata por convite de Campos Sales, já havia desenvolvido um liberalismo humanitário, herdado ainda do combate abolicionista e do seu desdobramento em questões sociais. Sua experiência como adido de legação na Europa e nos Estados Unidos na década de 1970 do século XIX também daria frutos, maturados no exílio auto infligido após a queda da Monarquia. Por essa época, Nabuco fez suas primeiras incursões analíticas sobre o papel dos Estados Unidos na política continental no texto revisitado sobre Balmaceda.

As criações e desconstruções que Nabuco operou no seu pensamento e na sua ação como diplomata devem ser vistas sob o prisma de uma geração de políticos e intelectuais que tiveram suas referências pessoais abaladas pelo esfumaçamento de um mundo construído durante todo o século XIX. A causa abolicionista tinha se esgotado, a Monarquia fora destronada e o meio internacional ganhava novos contornos. A Europa estava desgastada, o imperialismo avançava e as novíssimas tecnologias reformulavam noções de tempo e espaço. A esse conturbado novo mundo Nabuco buscava adaptar novos paradigmas de ação, ainda que seja evidente sua desorientação frente a esse turbilhão de novidades. Apartado dos destinos do seu país ao afirmar-se monarquista em meio republicano, vê uma possibilidade de redenção na diplomacia, encarando-a como uma fase de adaptação. Nesse processo, identifica uma causa pela qual lutar, a aproximação do Brasil com os Estados Unidos, assumindo-a de maneira integral e com doação que lembraria sua fase abolicionista.

Suas ideias sobre o sistema internacional e o interesse nacional brasileiro, ainda que não tenham sido sistematizadas e publicadas, estão evidenciadas nas correspondências, telegramas, despachos e conferências produzidas nos seus anos como embaixador e guardam uma coerência teórica muito razoável que se encontra vinculada às propostas extremamente contemporâneas que circulavam no mundo no início do século XX. Isso coloca Joaquim Nabuco, mais do que como ator, como um pensador das relações internacionais.

Nabuco é rotulado essencialmente como um idealista que defendeu o pan-americanismo e a aproximação com os Estados Unidos de maneira ingênua. Destaca-se nessas críticas Oliveira Lima. A sua amizade de juventude com Nabuco, desenvolvida na fase jornalística no Recife, não resistiu às diferenças de posições sobre o pan-americanismo e o relacionamento com os Estados Unidos. Oliveira Lima não era de fácil trato e acabou sendo enviado para a legação brasileira no Peru, em 1903, e à Venezuela, em 1905, distanciando-se dos polos importantes de definição da política externa. Sua ambição em ser ministro das Relações Exteriores acabou frustrada com a nomeação de Rio Branco para o cargo e seu desgosto tornou-se patente e explicitado nas críticas à aproximação com os Estados Unidos defendida veementemente por Nabuco. Dirá em correspondência, desafinando a amizade entre ambos:

> Tenho acompanhado com curiosidade as manifestações do seu Monroísmo ou melhor do seu Rooseveltismo e, apesar de conhecer o entusiasmo que o seu temperamento põe em todas as coisas por que se apaixona, não o julgo capaz de tanto americanismo.[17]

Para ele, Nabuco havia ficado *too American*, como em Londres fora *too British*, na Itália *too Roman* e na França seria *too French*.[18] Oliveira Lima enxergava um posicionamento idealista e ingênuo por parte de Nabuco na sua proposta de relacionamento com os Estados Unidos, entendido como o único parceiro possível e desejável para o Brasil no continente. Esse direcionamento de política externa afrontou por muito tempo os brios latino-americanistas de muitos analistas. No entanto, se é verdade que existia uma concepção idealista no pensamento de Nabuco, ela é mais complexa que as críticas rasas que são em geral expostas. É necessário, de qualquer forma, compor o quadro do pensamento de Nabuco como embaixador também por um viés realista. Essas duas qualificações devem ser vistas como uma diferenciação nos âmbitos de análise. Em Nabuco os elementos díspares dessas tradições caminhavam próximos. Carr afirmava que essa era uma eterna disputa entre os que imaginavam o mundo de forma a adaptá-lo à sua política e os que elaboravam a sua política de forma a adaptá-la às realidades encontradas no mundo.[19] Nabuco sintetizara essas posições, senão de forma a compatibilizá-las, ao menos de forma a não torná-las antagônicas.

O idealismo liberal de Nabuco deve ser creditado tanto a uma concepção de *devir* do relacionamento entre os países do continente, como ao entendimento do lugar ocupado pelo continente americano na estrutura do sistema internacional. Essa era a sua proposta intelectual. Distanciava-se do formalismo rígido, do elemento fundamentalmente empírico[20] para avançar numa proposta ética e pacifista. O seu realismo deve ser vinculado à sua disposição de ver o interesse nacional brasileiro, base para a definição da política externa, vinculado à proteção e manutenção do seu território, algo que pode ser caracterizado pela acepção *razão de estado*. Expunha, assim, seus traços práticos pertencentes aos homens de ação, interpretando a realidade em termos que beiravam o determinismo que aceitava os acontecimentos ao invés de buscar modificá-los ao seu bel-prazer. Segundo Carr, "toda a ação humana sadia, e portanto todo pensamento sadio, deve estabelecer um equilíbrio entre utopia e realidade."[21] Nabuco trabalhou nesses dois âmbitos para pensar a condução da política externa brasileira.

III : O ELEMENTO REALISTA: ADESÃO AO MONROÍSMO COMO PROTEÇÃO TERRITORIAL

O elemento realista de Joaquim Nabuco como diplomata é particularmente importante, pois foi herdado de sua experiência de relações com a Europa, na qual se destaca a questão da Guiana Inglesa, um dos grandes malogros da nossa diplomacia de limites.

Nabuco foi solicitado por Campos Sales em 1899 para defender o Brasil nessa questão, que tinha em jogo uma área de 30 mil km^2 de terra onde se encontra o rio Pirara, próxima de minas preciosas, num corredor fluvial que comunica as duas bacias do Amazonas e do Essequibo, uma chave para o sistema fluvial do Amazonas.[22] O território em questão havia sido explorado pela Coroa portuguesa no século XVIII, mas a soberania sobre a área foi colocada em xeque pelo governo inglês nos princípios do século XIX ao ordenar que se levantasse um mapa do local, bem como que se intimasse o governo brasileiro a se retirar de uma parte da região. Um conflito aberto com a Inglaterra não era interessante naquele momento, então se decidiu pela retirada, mas combinada com uma forte contestação da posição inglesa, o que acaba colocando o território sob litígio em 1842.

Sessenta anos depois, Nabuco aceitou a incumbência de provar o direito do Brasil sobre a região. Entre 1900 e 1904, seguiu debruçado sobre a questão da Guiana e, ao seu final, estavam escritos dezoito grandes volumes de texto, documentos e mapas, todos escolhidos e examinados por ele e com mais de duas mil páginas escritas do próprio punho.[23] Nabuco tinha certeza da qualidade de sua defesa e previa um resultado positivo, mas a sentença liquidou a controvérsia territorial com uma clara inclinação às pretensões inglesas, mesmo que teoricamente falasse da partilha da região entre os dois requerentes de forma igual. Vítor Emanuel, o árbitro da disputa, dizia não ser possível determinar o direito de cada nação, nem os limites que deveriam recortar a região. As provas históricas e jurídicas não teriam sido suficientes. De qualquer forma, ficava patente que os erros que acabaram por atribuir à Inglaterra um território maior do que o que ela mesma reivindicava mostrava que o árbitro havia feito uma diferenciação clara entre os participantes da contenda. O Brasil havia saído extremamente prejudicado.

Tal derrota teve em Nabuco uma série de consequências importantes, dentre as quais a incorporação do elemento realista às suas concepções de política externa: a proteção do território. O diplomata havia entendido os processos que se acercavam do Brasil pela política de poder que dominaria as relações internacionais. Nesse sentido, as decisões arbitrais não refletiriam direitos jurídicos, mas disputas de potência na política entre os países.[24] Para Nabuco, o maior dos problemas era que o julgamento do rei da Itália foi feito com base nas "ideias do Congresso de Berlim"[25] de 1884, estipulando um precedente perigoso próximo a esse "direito africano". Assim, Nabuco diria

> senti duramente a perda do território incontestavelmente nosso e a invocação de princípios que nos fariam perder dois terços ou metade do nosso país, se ambições estrangeiras se

levantassem de repente no Amazonas, no Paraguai e em todos os nossos sertões desconhecidos, ou desocupados.[26]

Os elementos patentemente imperialistas da decisão indicaram a importância de se focar a proteção do território como elemento prioritário da ação internacional do Brasil. Essa *razão de estado* estava longe da ingenuidade que muitos afirmavam caracterizar o pensamento de Nabuco como diplomata. O Congresso de Berlim efetivamente firmara o princípio de que ocupação e posse eram o único meio de garantir e conservar a soberania territorial, o que, para um país com a extensão do Brasil, tornava-se um pesadelo. Soma-se a isso o fato de que entre 1880 e 1914 a maior parte do mundo estava dividida em territórios sob governo direto ou sob dominação política indireta de um ou outro Estado de um pequeno grupo de potências.[27]

Para Nabuco havia sido exposta a fragilidade brasileira frente aos seus possíveis adversários internacionais europeus. E é após esse acontecimento que vai ser feita a sua clara vinculação ao monroísmo[28], princípio de proteção das independências dos países do continente contra investidas estrangeiras, proclamado por Monroe em 1823 e reeditado ao final do século XIX com as conferências pan-americanas.

Contra a ameaça territorial e/ou colonial europeia Nabuco apegava-se à distinção de dois mundos, o europeu e o americano, sedimentada no início do século XIX. Para Nabuco essa doutrina deveria seriamente ser aceita "como a fórmula exterior da independência do nosso Continente, como a lei da nossa órbita internacional à parte da do Velho Mundo".[29] Para o Brasil, em particular, ela deveria representar um grande interesse nacional, já que seria "um mundo sobre o qual cada dia mais se dirigem as cobiças das nações que têm fome de terra, das raças que precisam expandir-se".[30] A adesão ao monroísmo vinculava-se à aproximação com os Estados Unidos, um conjunto pensado como política de defesa brasileira, quiçá continental.

IV : O ELEMENTO IDEALISTA: UNIÃO CONTINENTAL COMO PRESSUPOSTO PARA A PAZ

Se o monroísmo, vinculado ao interesse nacional de preservação territorial, caracteriza claramente a visão realista de Nabuco sobre a política internacional e os dilemas a ela relacionados, podemos dizer que a concepção pan-americanista, também por ele assumida, realmente pode ser vista por um prisma idealista. Não num sentido somente utópico, mas principalmente com características liberais, explicitada no seu entendimento sobre o sistema continental.[31] Quer se dizer com isso que Nabuco via a possibilidade de se pensar o sistema interamericano a partir de certos elementos, tais como a busca do progresso humano como um meio possível rumo à harmonização das relações entre os países, a crença na cultura de paz pela proximidade de regimes políticos representativos, a opinião pública como um elemento moralizador das relações entre os países. Esses ideais foram caracterizados pela alcunha de utópicos pelo pensamento realista que dominou as relações internacionais a partir das duas guerras mundiais, mas esse liberalismo normativo do início do século XX precisa de um entendimento imparcial para não ser impregnado por preconceitos já enraizados.

O novo pan-americanismo, com base no monroísmo, ainda que sendo uma política particular norte-americana, poderia fornecer uma liga ideológica entre os países americanos por apontar um destino uno dos países do mundo novo.[32] A liderança desse processo deveria ser creditada à nação mais civilizada do continente, os Estados Unidos.[33] Essa construção intelectual tinha, na materialidade do continente americano, a necessidade de contrapor-se a algo para criar uma identidade.

Nabuco cria, assim, uma ideia geral sobre o que seria o sistema mundial. Pensava o mundo como blocos de países agindo de maneira coesa. Os blocos de poder deveriam ser vistos como entidades internacionais formadas não só pelo seu território oficial, mas também pelos adendos coloniais advindos da política imperialista. Haveria o bloco americano, com o centro do seu poder nos Estados Unidos, e o bloco europeu, com uma dispersão de centros de poder.[34] Isso incorporava a ideia de dois hemisférios na Doutrina Monroe, balizada numa diplomacia de equilíbrio, que poderia ser definida como um conjunto dos blocos de poder independentes, definidos a partir de áreas de influência territoriais que, mantendo relações políticas regulares entre si, contrabalançam suas características opostas.

Os países centrais desse mundo multipolar utilizariam em cada vez maior escala as inovações tecnológicas, possibilitando um poder dominador que se organizava pelo aumento da força militar, pela diminuição do espaço físico e pela exploração econômica das zonas coloniais.[35] Nabuco achava que estava "(...) em desenvolvimento uma transformação do equilíbrio político do mundo, que forçosamente afetará as relações internacionais/ a América do Sul/ quando se vier a completar, e dez anos é o prazo máximo para a fixação das vistas que hoje flutuam".[36]

Nesse sentido, a emergência do novo bloco de poder americano seria derivada da descentralização do poder internacional. Não acreditava na tese da decadência europeia, mas considerava que seria necessário à Europa dividir, junto com o poder, a hegemonia moral do mundo com uma nova fonte de civilização que despontava na América: os Estados Unidos.[37] Segundo Nabuco, os filhos de Washington seriam "os modelos da nossa civilização americana"[38] e seu caráter mais visível, a liberdade. A unidade moral seria a base para a consolidação do bloco americano.

Na Europa se podiam ver pelo menos dois outros grupos, um liderado pela Alemanha e outro pela Inglaterra, ambos em expansão por conta de suas bases imperialistas e baseados em um sistema de alianças[39] que, na visão de Nabuco "passam, não têm elasticidade e são cheias de perigos, ao passo que a espontânea concorrência nas mesmas linhas de ação é o natural desenvolvimento do destino de cada nação". Nesse sentido, "a concentração das Repúblicas Americanas com a ideia de que todas formam, sob várias bandeiras, um só sistema político, já é uma aliança moral".[40]

As características distintas dos blocos levariam a resultados distintos. No caso europeu, à beligerância e no caso americano, à paz. Nabuco apontava a necessidade do "aumento da imensa influência moral que os Estados Unidos exercem sobre a marcha da civilização". Ela se traduziria pela primeira vez na história em uma "vasta zona neutra de paz e livre competição humana".[41] Os Estados Unidos teriam o compromisso, por serem o país de maior desenvolvimento econômico e bélico e de maior importância política, já nos primeiros anos do século XX, de liderar a América. Nesse contexto Nabuco realizava uma fragmentação sociocultural entre a América saxônica a e América latina, distanciadas durante muito tempo por um temor latino e pela indiferença norte-americana. Segundo Silveira essa fragmentação representava uma diferenciação entre estágios de desenvolvimento, estando a norte-americana em um degrau bem superior.[42] O contato dos menos desenvolvidos com essa alta civilização seria de grande benefício para os primeiros já que

> A América Latina (...) se impregnaria, em medida diversa, do vosso otimismo, intrepidez e energia.[43]

Nesse bojo, encontravam-se referências tanto à questão comercial, como fator importante de desenvolvimento social, quanto à opinião pública continental, ambos elementos essenciais do pensamento idealista liberal do princípio do século XX, já externados por Kant na sua "Paz perpétua". Alguns fatores facilitavam ainda essa comunhão de ideais e progresso frente ao resto do mundo. Para Nabuco os preconceitos históricos e raciais que promoviam um sem-número de conflitos entre os povos, encontravam-se, na América, menos acentuados. E, apesar das diferenças de raça, de línguas, de crenças, uma origem sociológica comum constituía um fator de unidade.[44] A importância do compartilhamento do regime republicano entre os países deveria ser destacada. No caso brasileiro Nabuco imaginava que com a proclamação da República "começamos a fazer parte de um sistema político mais vasto".[45] Caso rejeitássemos tal determinação, "entregues aos nossos recursos somente, não poderemos olhar com sobranceria aquelas expectativas impacientes".[46]

Ao reconhecermos a importância desse sistema, o passo imediato seria dar a devida relevância às conferências pan-americanas, que teriam como função trabalhar pela identificação de interesses comuns das nações americanas e pelo aprofundamento de suas relações. A utilidade da opinião pública é particularmente destacada por Nabuco por estar relacionada à sua própria ação como diplomata e, antes mesmo, como abolicionista. Nabuco imaginava que precisaríamos de uma opinião autenticamente americana. Quando ela se tornasse "comum, ampliada pela concentração e reflexão direta de nação a nação" possibilitaria prevenir contra "não só conquistas estrangeiras, mas também governo arbitrário e suspensão de liberdade pública e individual".[47]

Nabuco mostrava os elementos liberais de suas concepções ao incentivar a criação de conhecimento e compreensão entre as nações americanas; a existência de uma propaganda para fomentar discussões e formar opiniões públicas continentais; uma comunhão de interesses materiais e morais. O idealismo presente em Nabuco se expressa, nesse sentido, pela crença de que esses desenvolvimentos levariam o continente americano a tornar-se um corpo pacífico de nações, um sistema cooperativo continental, distante de uma estrutura de anarquia e autointeresse presente no continente europeu.

V : ESTRUTURA DO SISTEMA INTERAMERICANO: COOPERAÇÃO E HIERARQUIA

A organização de poder na América teria, para Nabuco, um caráter particular, relacionado à busca por prestígio, definição de hierarquias, tomada de posições estratégicas e construção de interesses. Por esses elementos torna-se possível ver como as características liberais idealistas e realistas compõem o pensamento do embaixador no sentido de oferecer uma síntese possível, ainda que não desprovida de inconsistências.

Numa época em que Nabuco considerava que os problemas externos tendiam a sobrepujar em importância as questões internas[48], a política de aproximação com os Estados Unidos ganhava uma grande dimensão, devendo ser "o alfa e o ômega da nossa política externa".[49] A embaixada de Washington devia ser vista, assim, como o centro de operações do Brasil para sua inserção no mundo.

Na estrutura hierárquica que Nabuco concebeu para o sistema interamericano, o Brasil tinha característica e história que lhe garantia uma posição distintamente mais próxima da grande civilização do continente. O americanismo e a solidariedade seriam a tônica nacional.[50] Isso nos colocava num patamar diferente em relação aos países da América hispânica que "por largo tempo recearam o contato mui perto convosco [EUA], atenta a grande diferença de força entre esta e as demais nações americanas".[51]

Realmente sempre existiu uma linha contrária nos países da América Latina, desde antes de se tornarem independentes, vinda de Bolívar, a qualquer envolvimento maior com os Estados Unidos. Quando estes decidiram recuperar a Doutrina Monroe para fazer parte da estrutura ideológica do novo pan-americanismo com o agressivo Corolário Roosevelt, acabaram piorando a situação. Outro elemento importante para legitimar a maior aproximação entre Brasil e Estados Unidos seria a condição de isolamento de ambos, cada qual numa porção do continente. Identificações comuns como essa e outras eram usuais na época. Por sua vez, a posição da Argentina como crítica voraz dos Estados Unidos no sul do continente colocava ainda mais o Brasil como seu aliado, pela competição com o vizinho.

Essas visões incentivaram Nabuco à busca de um bilateralismo radical que pusesse o Brasil como um aliado preferencial e tradicional dos norte-americanos na busca da unidade dos dois extremos do continente. Justificava-se assim a alta posição de poder que a nação brasileira deveria ter no cenário sul-americano, ao mesmo tempo que se desenhava a ideia de "inevitabilidade" da relação Brasil-Estados Unidos, presente no discurso de Nabuco até o final da sua vida.[52] Acreditava que "seria um esforço estéril para o resto de razão e de bom senso do país querer lutar contra o ímã do Continente, suspenso, ao que parece, no Capitólio de Washington".[53] Essa inevitabilidade significa para o Brasil praticamente uma ideia de destino nacional[54] por dois motivos: o primeiro é que esse relacionamento era o "nosso eixo de segurança"[55], uma garantia de integridade territorial, o segundo, mais relacionado ao prestígio e ao desenvolvimento, era que estar ao lado da mais forte república do continente possibilitava ao Brasil se transformar em um polo estratégico de poder no hemisfério e, dadas as relações pensadas sobre blocos internacionais, também para o mundo.

Os obstáculos relacionados a essa "quase aliança" tinham uma raiz material e outra política. A primeira estava relacionada às dificuldades efetivas das linhas de navegação e das comunicações. Não havia, por exemplo, linha telegráfica direta entre Brasil e EUA e as mensagens precisavam ser encaminhadas pela Europa ou pela Argentina. Os bancos europeus realizavam, por sua vez, as transações comerciais, dificuldade que, em algum momento, teria que ser superada para que se ampliassem os intercâmbios e agilizassem as decisões, diminuindo as distâncias.

No que se refere aos obstáculos políticos, a possível indiferença de ambos os lados poderia paralisar a construção em andamento. O problema pelo lado norte-americano era a sua tendência histórica ao isolamento, da qual a mais clara derivação era a repulsa em formar alianças. O grande medo de Nabuco, no entanto, era que o monroísmo, eixo dessa aproximação, praticamente um dogma nacional, poderia deixar de sê-lo com o tempo e, "nesse dia ai de nós, se a nossa amizade não estiver já bem cimentada".[56] O outro problema, esse dos maiores, porque interferia diretamente na política tentada por Nabuco à frente da embaixada, dizia respeito à postura brasileira sobre a aproximação com os Estados Unidos. A preocupação de que Rio Branco tivesse criado a embaixada de maneira publicitária, sendo que nenhuma política mais coerente, ampla ou sistemática estivesse em seus planos, ganhava corpo com o descaso percebido por Nabuco.

Mas é importante frisar que Nabuco entendia a aproximação do Brasil com os Estados Unidos como somente uma das etapas do relacionamento continental que estruturaria a lógica de poder e hierarquia no sistema interamericano. Para Nabuco as etapas de relacionamento continental deveriam passar primeiro pela assunção dos Estados Unidos a uma postura de líder, ao que se seguiria um segundo momento em que a aliança com o Brasil possibilitaria o exercício dessa liderança no norte e no sul "para formarem juntas um núcleo sólido de paz e harmonia continental".[57] Com essa estrutura consolidada viria o terceiro momento, onde seria possível expandir as alianças para outras importantes nações como Argentina e Chile, no sul e, pela vontade norte-americana, o México, no norte. Após serem cumpridas essas etapas, as mais importantes do processo de estruturação do poder no continente, iria se incorporando em longo prazo o resto dos países latinos.

Fica claro que a ideia de alianças para Nabuco era hierárquica. Via os países com diferenças históricas e de poder que deveriam se refletir na organização do continente, dando um tom quase que oligárquico para as relações que formariam um condomínio no continente.[58] A experiência de Nabuco no Bureau das Repúblicas Americanas lhe teria dado a indicação de como uma democracia irrestrita na política internacional acabaria por gerar mais efeitos negativos que positivos.

> Eu já lhe disse a minha experiência no Bureau, onde o Brasil vale menos do que a Ilha do Haiti, por estar dividida em dois Estados e ter assim dois votos (...) Não há contrato de sociedade possível sem a lei da proporção e sem a proporção não há justiça possível entre os Estados.[59]

A paridade entre os países não era uma das metas de Nabuco para o relacionamento continental, destacando que uma busca nesse sentido poderia incorrer em uma série de inconvenientes. Mesmo uma proposta alternativa de relacionamento interamericano, por exemplo por uma via de aproximação com os países hispano-americanos, não era nem ao menos possível cogitar. Nabuco dirá, em tom de ameaça a Rio Branco, que

> nunca na minha opinião, um brasileiro teve tantas responsabilidades no destino do nosso país como você ante os dois caminhos que se lhe deparam: o americano e o outro, a que não sei como chamar, se de latino-americano, se de independente, se de solitário.[60]

Antes de qualquer recriminação a essa posição, deve-se entender o contexto histórico em questão. Durante os séculos XIX e XX, não é possível visualizar qualquer estabilidade para os nossos vizinhos, afogados como haviam estado no redemoinho de revoluções e instabilidade financeira. Da mesma forma, os conflitos diplomáticos e territoriais entre todos os países sul-americanos dificultariam qualquer entrosamento efetivo, o que reafirmava sua crença de que "o limite da expansão mútua fosse pela nossa parte tão amplo quanto a constituição lhe permita levá-lo".[61] Assim, Nabuco reclamava a Afonso Penna da incorreção da ideia, ainda nebulosa, que começava a lhe chegar em Washington, da construção de algum tipo de liga sul-americana. A preocupação de Nabuco era tamanha que "quanto aos boatos da tríplice aliança sul-americana, ouço-os com tanta apreensão que, se ela se celebrasse, preferiria ser retirado daqui".[62] Para ele, a relutância da parte brasileira em obter a amizade norte-americana daria força à opinião minoritária nos Estados Unidos, especialmente entre os norte-americanos de origem alemã, de que a América do Sul deveria ser excluída das obrigações da Doutrina Monroe. A má vontade proveniente daí seria terrível, pois poderia levar os Estados Unidos a substituírem o Brasil por duas possibilidades. Tanto por uma aproximação com países ao norte do Brasil, como Peru e Colômbia, extremamente próximos dos desertos da região amazônica, quanto por uma "ideia de uma aliança com a Argentina, [que] seria fatal",[63] ou mesmo com o Chile.

O exemplo do Brasil, aproximando-se dos Estados Unidos, teria dado margem de ação aos países hispano-americanos para buscarem o mesmo. Achava, assim, que era necessário manter a dianteira adquirida com a criação da embaixada.[64] A Argentina, por exemplo, começava a ser um motivo de preocupação. Nabuco percebia que no momento em que o Brasil não atuava de maneira incisiva na aproximação com os Estados Unidos, utilizando todos os recursos disponíveis, a Argentina ganhava espaço nessa briga por aproximação.[65] O Chile também demonstrava oportunismo ao manifestar grande vontade de criar uma embaixada nos Estados Unidos em 1907, a qual Nabuco não fez esforço para auxiliar.

VI : CONCLUSÃO

Joaquim Nabuco, atuando como embaixador em Washington entre 1905 e 1910, estruturou concepções sobre a política externa brasileira no continente americano que continham traços idealistas e realistas, o que, ao contrário de expor uma ambiguidade, construía uma proposta alternativa de relacionamento interamericano. De fato, o mérito de Nabuco foi conseguir incorporar correntes do pensamento internacional ainda não sistematizadas e fazer uma leitura nacional dessas dimensões. A motivação adveio dos problemas e dilemas postos pelas transformações do mundo moderno. Nesse sentido, pode-se dizer que Nabuco mostrou-se apreensivo, com o avanço do imperialismo europeu sobre o continente africano e asiático, e deslumbrado, com a ascensão do poder mundial norte-americano. Incorporou, assim, o monroísmo como garantia de proteção para o território brasileiro e, a partir daí, formulou ideias sobre um sistema americano que deveria ser liderado pelos Estados Unidos, apreciados como uma civilização modelo e irradiadores de paz.

O foco na relação do Brasil com os Estados Unidos, em detrimento de outras, colocou Nabuco numa posição delicada. As críticas feitas ao seu americanismo excessivo ganharam ressonância na literatura que trata tal tema, reduzindo a complexidade da sua proposta ao rótulo de idealista e ingênua. Mas o posicionamento de Nabuco frente à estrutura de poder no continente americano não deve ser visto sob uma ótica anacrônica. Os Estados Unidos representavam por essa época uma opção alternativa e não a corrente geral, comum ou compulsória da época. Contrariamente ao rótulo negativo que ganharam as relações próximas com a potência do continente ao longo do século XX, a significação daquele momento se revestia de uma proposta alternativa e anti-imperialista, já que a Europa do início do século XX é que carregava as significações mais fortes de imperialismo, unilateralismo e belicosidade.

Com uma análise mais detida vê-se a importância do pensamento de Nabuco sobre as relações internacionais em geral e sobre a política interamericana em particular. Deve-se destacar, ainda, o ineditismo de se pensar na época (e mesmo contemporaneamente) a política internacional a partir da ótica de uma potência periférica como o Brasil. Refletir sobre as alternativas de parceria estratégica brasileira, independentemente das conclusões definidas naquele momento, deve servir como um estímulo para a reflexão contemporânea da nossa política externa.

NOTAS

1 Este artigo é baseado na dissertação de mestrado desenvolvida no Programa San Tiago Dantas de Pós-graduação em Relações Internacionais da Unesp/Unicamp/Puc-SP, publicado em livro pela Editora Hucitec em 2006.

2 Carta confidencial de Joaquim Nabuco a Barbosa Lima, 7/7/1907 (Cartas II, 1949, 277–278).

3 Carta de Joaquim Nabuco a Rio Branco, 21/6/1904 (FUNDAJ).

4 NABUCO, 1999, 49.

5 Apud VIANA FILHO, 1952, 293.

6 "Esta manhã um terremoto, o telegrama do Rio Branco oferecendo-me Washington. Vou pensar muito antes de responder; pensa e reza, certo que nenhum dever pode ser recusado", Nabuco escrevia à esposa alguns dias depois de sair o laudo arbitral (Apud NABUCO C., 1958, 400).

7 Cf. SALLES, 2002, 281.

8 Lins vai falar em motivos de caráter político e de ordem econômica. (LINS, 1995, 320)

9 BURNS, 2003, 213–214.

10 No despacho reservado para Washington, de 31/1/1905 (AHI), Rio Branco diz a Gomes Ferreira que "Os Estados Unidos são o principal mercado para o nosso café e outros produtos".

11 Dados do Ministério da Fazenda (Apud BUENO, 2003, 97).

12 Cf. RICUPERO, 2000, p. 6.

13 LINS, 1995, 323.

14 Carta de Joaquim Nabuco a Graça Aranha, 21/06/1905 (Cartas II, 1949, p. 219).

15 Cf. VIANA FILHO, 1952, 303.

16 Carta de Joaquim Nabuco ao barão de Albuquerque, 5/1/1905 (Cartas II, 1949, 200).

17 Carta de Oliveira Lima a Nabuco, 23/10/1905 (FUNDAJ).

18 LIMA, 1937, 212.

19 C.f. CARR, 2001, 17.

20 CARR, 2001, 19.

21 CARR, 2001, 18.

22 Cf. FERNANDES, 1927, 12.

23 Cf. NABUCO C., 1958, 384.

24 Carta de Joaquim Nabuco [1904]. Proc. desconhecida (FUNDAJ).

25 Carta de Joaquim Nabuco a Campos Sales, 3/10/1904 (Cartas II, 1949, 175). O objetivo principal do convite de Bismarck para o Congresso era o reconhecimento da Alemanha como nova potência mundial e, para tanto, era necessário que adquirisse protetorados coloniais, no caso, na África.

26 Carta de Joaquim Nabuco a Dona Maria Ana Soares Brandão, 21/07/1904 (Cartas II, 1949, 172–173).

27 HOBSBAWM, 1998, 88; MAGDOFF, 1979, 94; BARRACLOUGH, 1966, 60.

28 COSTA, 1968, 48–49. "Não resta dúvida que o ponto de partida do americanismo ativo de Nabuco, que muitos julgaram exagerado, deve ser situado durante a Missão Especial" (COSTA, 1968, 50).

29 Ofício de Washington, Nabuco para Rio Branco, 30/5/1905 (AHI).

30 Carta de Joaquim Nabuco a Nilo Peçanha, 15/10/1906 (FUNDAJ).

31 Entre os brasileiros, Nabuco era o que mais explicitava a existência de um sistema continental (BUENO, 2003, 166).

32 COSTA, 1968, 109.

33 Cf. SILVEIRA, 2000, 251. Gomes também afirma tal ideia ao dizer que, diante da massa colossal europeia, pensada junto com todas as suas possessões extracontinentais, para Nabuco, "a única solução seria a união de todas as repúblicas americanas sob a égide da Doutrina de Monroe" (GOMES, 1950, 126–127).

34 Há referência a certo pioneirismo de Nabuco, no Brasil, no discernimento de um sistema mundial caracterizado por dois tipos de poder, um americano e outro europeu (GANZERT, 1942, 439).

35 Autores como Barraclough dão razão para Nabuco nessas observações. O autor afirma que o industrialismo foi um dos grandes catalisadores das modificações que se operaram no que classifica como "sociedade contemporânea" do século XX, fase posterior à "sociedade moderna" do século anterior. (BARRACLOUGH, 1966, 43–61).

36 Carta de Joaquim Nabuco s/ destinatário, 1908 (FUNDAJ).

37 NABUCO, s/d, 205. Nesse sentido, Nabuco dirá que "há uma geografia intelectual do mesmo modo que uma geografia botânica e zoológica" (NABUCO, s/d, 205); SILVEIRA, 2000, 252.

38 NABUCO, s/d, 206.

39 É corrente na bibliografia que trata do tema o fato de os Estados Unidos nunca terem sido imperialistas nos moldes que foi, por exemplo, a Inglaterra. Ainda assim, não devemos nos enganar concluindo que os Estados Unidos não tenham praticado o imperialismo a seu modo.

40 NABUCO, s/d, 146–147.

41 Discurso de Nabuco para Roosevelt por conta da entrega de credenciais (AHI).

42 SILVEIRA, 2000, 253.

43 NABUCO, s/d, 143.

44 COSTA, 1968, 111.

45 NABUCO, 1937, 182. Nogueira também atesta esse paralelo entre republicanismo e união americana (NOGUEIRA, 1984, 201).

46 Carta de Joaquim Nabuco a Nilo Peçanha, 15/10/1906 (FUNDAJ).

47 NABUCO, s/d, 149-150.

48 Carta de Joaquim Nabuco a Rodrigues Alves. Apud NABUCO C., 1958, 403.

49 Carta confidencial de Joaquim Nabuco a Barbosa Lima, 7/7/1907 (Cartas II, 1949, 277-278).

50 SILVEIRA, 2000, 259.

51 NABUCO, s/d., 141.

52 Carta reservada de Joaquim Nabuco a Ilanir da Silveira, 31/10/1908 (FUNDAJ).

53 NABUCO, 1937, 183.

54 Nabuco via a aproximação com os Estados Unidos como a nossa causa nacional por excelência, como havia sido a abolição em outros tempos (Telegrama de Nabuco a Afonso Pena, 23/1/1908, FUNDAJ).

55 Carta de Joaquim Nabuco a Rodrigues, 16/7/1908 (FUNDAJ). Nabuco afirma que "A nossa diplomacia de entrelaçamento com os Estados Unidos vale mais do que a maior esquadra e o maior exército que pudéssemos ter" (Ofício de Washington, Nabuco para Rio Branco, 28/5/1907, AHI).

56 Carta confidencial de Joaquim Nabuco a Barbosa Lima, 7/7/1907 (Cartas II, 1949, 277).

57 Carta de Joaquim Nabuco a Barbosa Lima, 21/7/1906 (FUNDAJ).

58 BUENO, 2003, 167.

59 Carta de Joaquim Nabuco a Rodrigues Alves, 16/7/1908 (FUNDAJ).

60 Carta de Joaquim Nabuco a Rio Branco, 19/12/1905 (Cartas II, 1949, 238–239).

61 Carta de Joaquim Nabuco a Rodrigues Alves, 18/12/1905 (FUNDAJ).

62 Carta de Joaquim Nabuco a Afonso Penna, 19/01/1908 (FUNDAJ).

63 Carta de Joaquim Nabuco a Gomes Ferreira, 18/7/1908 (FUNDAJ).

64 Ofício de Washington, Nabuco a Rio Branco, 24/5/1907 (AHI).

65 Carta de Joaquim Nabuco a C.J. Rodrigues, 30/7/1909 (FUNDAJ).

FONTES DOCUMENTAIS

Arquivo Histórico do Itamarati (AHI) – Rio de Janeiro
Telegramas de Washington para o Brasil de 1900–1907 (maços: 235.2.14; 235.3.1; 235.3.2)
Ofícios de Washington de 30/3/1905 até 31/3/19010 (maços: 234.1.3 até 234.1.9)
Despachos para Washington de 2/4/1903 até 27/3/1909 (maços: 235.2.5 e 235.2.6)
Cartas do Arquivo Particular do Barão do Rio Branco – Correspondência de Nabuco (Lata 832, maço 1)
Fundação Joaquim Nabuco (FUNDAJ) – Pernambuco
Correspondência ativa e passiva de Joaquim Nabuco de 24/3/1903 até 22/12/1909.

BIBLIOGRAFIA

ANDRADE, Olimpio de Souza. *Joaquim Nabuco e o Brasil na América*. 2ª ed. rev., São Paulo: Editora Nacional, 1978.

BARRACLOUGH, G. *Introdução à história contemporânea*. Rio de Janeiro: Zahar Editores, 1966.

BUENO, Clodoaldo. *Política externa da Primeira República; Os anos de apogeu – de 1902–1918*. São Paulo: Paz e Terra, 2003.

BURNS, Bradford E. *A Aliança não escrita; O Barão do Rio Branco e as Relações Brasil-Estados Unidos*. Rio de Janeiro: EMC Ed., 2003.

CARR, Edward. *Vinte anos de Crise 1919–1939*. 2ª ed. Brasília: Editora da UNB, 2001.

COSTA, João Frank da. *Joaquim Nabuco e a Política Exterior do Brasil*. Rio de Janeiro: Gráfica Record Editora, 1968.

DUROSELLE, Jean-Bapstite. *Todo império perecerá*. Brasília: Editora Unb, 2000.

FERNANDES, Raul. *Joaquim Nabuco diplomata*. Brasília: Ministério das Relações Exteriores, Serviço de Publicações, 1927.

GANZERT, Frederic William. "The Baron do Rio Branco, Joaquim Nabuco and the growth of Brazilian-American friendship, 1900–1910". *The Hispanic American Historical Review*, nº 22 (1942), 432–451, 1942. Nova York: Kraus Reprint Corporation, 1965.

GARCIA, Eugênio Vargas. *Cronologia das relações internacionais do Brasil*. São Paulo/Brasília: Alfa-Ômega/Fundação Alexandre de Gusmão, 2000.

GOMES, Luís Sousa. *Joaquim Nabuco e o pan-americanismo*. Rio de Janeiro: S/e, 1950.

HOBSBAWM, Eric J. *A Era dos Impérios 1875–1914*. 5ª ed. São Paulo: Editora Paz e Terra, 1998.

LIMA, Oliveira. *Pan-americanismo (Monroe, Bolivar, Roosevelt)*. Brasília: Senado Federal ; Rio de Janeiro: Fundação Casa de Rui Barbosa, MEC, 1980.

LINS, Álvaro. *Rio Branco; Biografia pessoal e História política*. 3ª ed. São Paulo: Editora Alfa-Omega, 1995.

MAGDOFF, Harry. *Imperialismo: da era colonial ao presente*. Rio de Janeiro: Zahar, 1979.

NABUCO, C. *A vida de Joaquim Nabuco*. 4ª ed. rev. Rio de Janeiro: José Olympio Editora, 1958.

NABUCO, Joaquim. *Discursos e conferências nos Estados Unidos*. Trad. Arthur Bomilcar. Rio de Janeiro: Benjamin Aguila, s/d.

_____. *Obras completas de Joaquim Nabuco* – XIV – Cartas a Amigos; Vol II. São Paulo: Instituto Progresso Editorial S.A., 1949.

_____. *Balmaceda*. Obras de Joaquim Nabuco, São Paulo – Rio de Janeiro: Companhia Editora Nacional, Civilização Brasileira S.A., 1937.

_____. *Minha formação*. 13ª ed, Rio de Janeiro: Topbooks, 1999.

NOGUEIRA, Marco Aurélio. *As desventuras do Liberalismo – Joaquim Nabuco, a Monarquia e a República*. Rio de Janeiro: Paz e Terra, 1984.

RICUPERO, Rubens. *Rio Branco*. Rio de Janeiro: Editora Contraponto, 2000.

SALLES, Ricardo. *Joaquim Nabuco: um pensador do Império*. Rio de Janeiro: Topbooks, 2002.

SILVEIRA, Helder Gordim. *Joaquim Nabuco e Oliveira Lima: faces de um paradigma ideológico da americanização das relações do Brasil*. Porto Alegre: PUCRS, 2000. (Tese de doutorado)

VIANA FILHO, Luís. *A vida de Joaquim Nabuco*. São Paulo: Companhia Editora Nacional, 1952.

NABUCO E O FRACASSO DA REFORMA SOCIAL

John Schulz

Mais de um século após a abolição, como Joaquim Nabuco havia previsto, as perversidades da escravatura continuam assolando a sociedade brasileira.[1] A divisão de renda no Brasil é das mais desiguais do mundo, devido, pelo menos em parte, ao legado escravocrata. Nabuco e vários de seus contemporâneos compreendiam que a abolição constituía apenas a primeira de uma série de reformas que incluíam a expansão do ensino e do sufrágio, incentivos para imigração, separação entre Igreja e Estado, federalismo, desenvolvimento da indústria e, a mais polêmica de todas, a reforma agrária.

Nas questões em que os reformadores sociais e os cafeicultores paulistas compartilhavam os mesmos objetivos: federalismo, imigração, separação entre Igreja e Estado, para incentivar a imigração de protestantes, os reformadores foram bem-sucedidos. Enquanto isso, as reformas que não foram apoiadas pelos fazendeiros tiveram pouco ou nenhum êxito.

Constavam entre os reformadores sociais os principais líderes da campanha abolicionista: Nabuco, Rebouças, José do Patrocínio e Rui Barbosa, além de alguns jornais do Rio de Janeiro como a *Cidade do Rio* de José do Patrocínio, a *Gazeta de Notícias* de Ferreira de Araújo, um diário respeitado, lido por muitos formadores de opinião, e o

Rio News, de Lamoureux, porta-voz da comunidade de comerciantes estrangeiros. Também podem ser considerados reformadores sociais um pequeno grupo de políticos, principalmente do Partido Liberal, incluindo Manoel Pinto de Sousa Dantas e o visconde de Ouro Preto (Afonso Celso de Assis Figueiredo), que vieram a ser, ambos, presidentes do Conselho. Entretanto as fileiras dos reformadores albergavam poucos conservadores, com a notável exceção do senador visconde de Taunay (Alfredo D'Escragnolle Taunay). Além desses líderes mais conhecidos, os reformadores incluíam profissionais liberais e funcionários públicos em cidades dinâmicas como Rio de Janeiro, São Paulo e Porto Alegre, além de oficiais militares. Em outro estudo, analisei as posições reformistas dos militares a partir da década de 1850.[2] Diante de uma elite unida contra a abolição e outras reformas afins, até a década de 1880 as reivindicações dos militares podiam ser ignoradas. A campanha abolicionista, com apelos diretos dirigidos ao Exército por Nabuco e seus aliados, ajudaram a transformar os oficiais militares numa força poderosa na política brasileira.[3]

A família imperial desempenhou um papel ambíguo em relação ao movimento abolicionista e outras reformas. Em 1866, um ano depois que a derrota dos estados confederados na Guerra Civil americana deixou o Brasil como a única sociedade escravocrata que ainda restava no mundo, d. Pedro II nomeou Zacarias de Goes e Vasconcellos, favorável à emancipação dos escravos, como presidente do Conselho de Ministros. Contudo, o imperador tirou Zacarias do cargo antes que qualquer medida concreta pudesse ser aprovada pelo Parlamento. Em 1870, o marido da princesa Isabel, o francês conde D'Eu, aboliu a escravidão no Paraguai depois da vitória do Brasil na guerra contra o país. Um ano depois, incentivado por d. Pedro, o Parlamento brasileiro aprovou a Lei do Ventre Livre, emancipando os filhos de escravos nascidos após a homologação. Como filhos de mães escravas, os *ingênuos* eram obrigados a trabalhar durante mais 21 anos para os donos, portanto a Lei do Ventre Livre acabou tendo um efeito mais psicológico do que prático. Nabuco descreveu a lei como um triunfo para os proprietários de escravos.[4] Embora simbólica, a medida engrossou substancialmente as fileiras do Partido Republicano, como o próprio Nabuco comentou, advertindo a família imperial sobre os riscos iminentes, caso fosse acelerado o movimento abolicionista.[5] As correspondências tanto de d. Pedro quanto de seu genro revelam o entendimento de que a abolição significaria o fim da Monarquia.[6] Com exceção do breve governo liderado por Dantas (1884–1885), os membros da família imperial apoiaram a escravidão até dois meses antes da abolição. A estratégia da família parece ter sido a de aceitar a abolição apenas quando esta se tornou inevitável, como veremos. A família também tomou medidas para impedir as outras reformas.

Com relação à Igreja Católica, Nabuco escreveu vários trechos comoventes, criticando a indiferença moral do clero diante do sofrimento dos escravos, até o último e amargo momento.[7] Ao contrário das últimas décadas do século XX, a Igreja se opôs a toda e qualquer mudança social durante o século XIX.

Evidentemente, os maiores opositores da abolição e das reformas sociais foram os fazendeiros. Durante os sete anos de governo conservador após a aprovação da Lei do Ventre Livre, ninguém no Parlamento levantou a questão da abolição. Em 1878, os liberais chegaram ao poder, liderados pelo presidente do Conselho de Ministros Sinimbu, um político que apoiava incondicionalmente a escravidão, mas que compreendia que o governo teria que ajudar os fazendeiros a se prepararem para o dia em que os escravos definhassem. Naquele mesmo ano, Sinimbu convocou congressos agrícolas no Rio de Janeiro e em Recife para discutir as reivindicações dos fazendeiros. O primeiro encontro atraiu quase 300 dos principais proprietários das províncias cafeicultoras de Rio de Janeiro, São Paulo e Minas Gerais. Foram organizados dois comitês para redigir recomendações, um representando São Paulo e o outro, as demais províncias. Ninguém duvidava que o futuro pertencia a São Paulo. Ambos os comitês procuravam "Trabalhadores e Capital", embora os conceitos tivessem conotações ligeiramente diferentes para os dois grupos. Oito anos antes que a imigração se tornasse significativa, os paulistas se deram conta de que poderiam pagar salários minimamente atraentes a imigrantes europeus.[8] Nas províncias onde a lavoura era praticada em terrenos mais acidentados, como Rio de Janeiro e Minas Gerais, os fazendeiros duvidavam que seus cafezais exauridos pudessem lhes render os recursos necessários para reter a mão de obra imigrante.[9] Ao contrário de Nabuco, que na época protestou publicamente contra a exploração dos *coolies*, os fazendeiros deixaram clara sua disponibilidade no sentido de aceitar asiáticos como mão de obra, na falta de um contingente suficiente de europeus.[10] O próprio Sinimbu chegou a externar seu desejo de lançar mão de trabalhadores chineses, na medida em que perdia as esperanças de obter suficiente mão de obra europeia.[11] Os fazendeiros queriam obrigar os imigrantes a assinarem contratos de trabalho onerosos, que os deixariam na condição de escravos por endividamento.

Muitos fazendeiros simplesmente não conseguiam imaginar a vida com mão de obra assalariada. Além dos contratos de trabalho draconianos, que muitos proprietários fizeram cumprir mais tarde com chicotes e cães ferozes, alguns porta-vozes viam na plantação a meias a única relação possível entre donos de terra e trabalhadores.[12] Os fazendeiros exigiam que o governo deixasse de apoiar as colônias de pequenos lavradores.[13] Mas os participantes nos congressos agrícolas também fizeram algumas sugestões positivas, incluindo o uso de trabalhadores brasileiros livres, o subsídio para o transporte de nordestinos que sofriam os efeitos da Grande Seca e um imposto sobre terra para forçar a divisão das grandes propriedades.[14] Portanto, encontramos aqui a reforma agrária mencionada pelos grandes proprietários – talvez por desespero. Assim, a reforma agrária como opção não passou despercebida, mesmo para os donos de escravos.

Ao reivindicar capital, os dois comitês opinaram que as autoridades deveriam incentivar e subsidiar o crédito agrícola. Uma vez que a legislação defendia os proprietários de terra a tal ponto que execuções hipotecárias tornaram-se praticamente impossíveis, poucos donos de capital se dispuseram a emprestar dinheiro para a lavoura. A carteira de hipotecas do Banco do Brasil, criada em 1866, usava escravos como garantias, e metade desses empréstimos estava com pelo menos dois anos de atraso nas amortizações.[15] De acordo com Nabuco, os opositores dos empréstimos agrícolas os consideravam "presentes" disfarçados para os proprietários. Os fazendeiros paulistas queriam que as instituições de crédito agrícola fossem organizadas nas próprias províncias, enquanto os fluminenses queriam todos os recursos concentrados na capital, onde eles estariam em vantagem.

A única legislação proveniente do Parlamento foi uma lei aprovada em março de 1879, que definia os termos e condições para contratos de trabalho. Nabuco proferiu um de seus primeiros discursos na Câmara dos Deputados contra essa medida, que ele considerava socialmente injusta e contrária à imigração. Também propôs um imposto sobre a terra para incentivar a divisão das grandes propriedades.[16] Junto com aliados como José Mariano Carneiro da Cunha e Taunay, Nabuco tentou repetidamente criar um imposto sobre terra durante a última década do Império.[17] Como prenúncio do moderno dilema urbano brasileiro, Nabuco alertou seus eleitores em Recife de que a reforma agrária seria capaz de reverter o êxodo dos empregados do campo para as cidades (*Campanha Abolicionista de Recife*. Recife, Massangana, 1988, p. 48).

Como todos aqui neste Seminário sabemos, Nabuco e seus aliados lançaram a campanha abolicionista em 1880 com o objetivo de definir uma data para o fim da escravidão, e num futuro não muito distante. Seu mérito foi o de haver chamado a atenção do Parlamento para essa questão, que havia permanecido latente desde 1871. Nos anos que precederam a Lei do Ventre Livre, diversos estadistas, inclusive Zacarias, o pai de Nabuco (José Tomás Nabuco de Araújo) e Bernardo de Sousa Franco, defenderam um prazo para o fim da escravidão. Como Nabuco frisou, Sousa Franco queria que a Lei do Ventre Livre incluísse uma cláusula obrigando o Parlamento a aprovar uma data para a abolição definitiva, dentro de dez anos.[18] Essa cláusula não chegou a ser incluída na legislação; o prazo de dez anos seria 1881. Casualmente, Sousa Franco, que faleceu em 1875, foi senador, conselheiro de Estado, ministro e talvez o estadista brasileiro do século XIX com mais experiência em finanças. O pai de Nabuco, também recém-falecido, foi também senador, conselheiro de Estado e ministro, e era considerado um dos principais intelectuais do Império em questões jurídicas. Como filho de um membro tão ilustre dos círculos internos da política, Joaquim Nabuco atraía mais atenção com sua atividade parlamentar do que um deputado comum.

O primeiro ano da campanha abolicionista assistiu à aprovação de uma mudança importante na legislação eleitoral por José Antônio Saraiva, sucessor de Sinimbu como presidente do Conselho de Ministros. Nabuco, os líderes do Partido Republicano e os oficiais militares acreditavam que essa legislação de fato garantiria eleições livres, pelo menos nas cidades. Abolicionistas, republicanos e oficiais lançaram chapas separadas na capital para as eleições de 1881 à Câmara dos Deputados. Os três grupos fizeram campanha com o apoio ativo de seus respectivos jornais. A imprensa militar, com *O Soldado* e *Tribuna Militar*, defendia a abolição, imigração, industrialização, construção de ferrovias, educação (inclusive a criação de uma universidade nacional), orçamento equilibrado e "governo honesto".[19] Os oficiais compartilhavam a opinião de Nabuco a essa altura, de que os liberais, conservadores e republicanos eram todos iguais.[20] Nabuco, emulando Gladstone, levou sua campanha "para as ruas", enquanto os oficiais viam no "povo" seus aliados naturais.[21] Todos os três grupos perderam: abolicionistas, republicanos e oficiais. Enquanto a imprensa militar, mesmo após a derrota, elogiava Saraiva por haver conduzido eleições limpas[22], Nabuco e os outros abolicionistas protestaram contra a manipulação eleitoral pelo governo.

O trunfo dos abolicionistas no ano de 1881 veio graças aos seus adversários, os fazendeiros. A Assembleia Provincial do Rio de Janeiro criou um imposto proibitivo sobre o comércio interprovincial de escravos, seguido logo por medidas semelhantes em São Paulo e Minas Gerais. Essa medida pretendia acabar com a venda de cativos do Nordeste empobrecido para as províncias cafeicultoras e, assim, manter a adesão da elite nordestina à escravidão como instituição. De acordo com o estudo clássico de Conrad sobre a abolição, a tática foi um tiro que saiu pela culatra.[23] A desvalorização dos escravos no Nordeste deu aos fazendeiros da região um motivo a menos para defender a escravidão. Em algumas áreas, custava menos manter trabalhadores livres famintos do que escravos. Em 1884, a província do Ceará libertou seus escravos. Enquanto isso, o preço dos escravos se estabilizou (mas não caiu) nas províncias cafeicultoras, demonstrando assim a força persistente da escravidão enquanto regime econômico.

Após a eleição de Saraiva, Nabuco entrou em exílio voluntário em Londres e escreveu seu famoso *O Abolicionismo*, publicado em 1883, no qual afirmou explicitamente que a abolição seria apenas o primeiro passo para a transformação do Brasil numa sociedade progressista. Pediu a vários de seus amigos políticos que escrevessem volumes sobre questões afins: Sancho Pimentel sobre federalismo, Rui Barbosa sobre liberdade religiosa, Rodolfo Dantas sobre educação. O próprio Nabuco esperava redigir os trabalhos sobre reforma financeira e relações exteriores.[24] Esse conjunto de reformas espelha aquelas defendidas pelo Exército, com a exceção de que os oficiais também sustentavam posições fortes em favor da industrialização.[25]

O ano de 1884, decorridos doze meses desde a publicação de *O Abolicionismo*, foi decisivo para a campanha abolicionista. O ano começou com o fim da escravidão na província do Ceará. Em março, o tenente-coronel Antônio de Sena Madureira, um dos oficiais mais respeitados do Exército e comandante de uma escola de artilharia nos subúrbios do Rio de Janeiro, convidou os líderes do movimento abolicionista do Ceará a visitar as instalações da escola. O visconde da Gávea, líder profissional do Exército brasileiro e um dos poucos defensores da escravidão que ainda havia dentro do alto comando, censurou Sena Madureira publicamente por haver recebido os abolicionistas. Sena Madureira retrucou que ele se reportava apenas ao comandante-general da artilharia, ninguém menos do que o próprio conde D'Eu. O genro do imperador deixou de defender Sena Madureira, que foi destituído do comando. O incidente com Sena Madureira acabou sendo um passo importante na evolução da "questão militar", levando diretamente à intervenção do Exército na política. Os diversos episódios que constituíram a questão militar estavam todos relacionados à escravidão.

Em junho, depois de seis anos de gabinetes liberais pró-escravidão, o imperador escolheu o senador Manoel Pinto de Sousa Dantas, um dos poucos políticos mais experientes a favor da emancipação, para formar um novo ministério. Nabuco e os outros líderes abolicionistas apoiaram Dantas na tentativa de emancipar os escravos quando alcançassem 60 anos de idade. A proposta de Dantas incluía um fundo de emancipação para incentivar os donos a venderem seus cativos e apressarem a abolição definitiva. Dantas também propunha o recadastramento dos escravos, medida que deixaria os proprietários em apuros; muitos donos haviam registrado escravos importados depois de 1831 (ilegalmente, portanto) como mais velhos do que realmente eram. Embora esses escravos não tivessem 60 anos de fato, os donos teriam que libertá-los com base na idade registrada, ou então admitir que chegaram depois de 1831 e que, legalmente, nem eram escravos. Temendo que a reforma de Dantas prenunciava a queda iminente da escravidão, o Banco do Brasil deixou de estender hipotecas que utilizavam escravos como garantia.

O projeto de Dantas dividiu seu partido. Derrotado no Parlamento, demitiu-se, e Saraiva voltou ao poder. Através de um conchavo com os conservadores, Saraiva diluiu a proposta de Dantas, inserindo uma cláusula criminalizando a ajuda a escravos fugitivos, e acrescentando outra cláusula que transformava parte do fundo de emancipação em subsídio para imigração. O presidente do Conselho de Ministros deixou o cargo depois de apenas três meses, transferindo o mando para seu aliado conservador, o barão de Cotegipe (João Maurício Wanderley), que aprovou a medida no Parlamento. Os sexagenários "libertos" ainda teriam que trabalhar mais três anos para seus "antigos" donos para indenizá-los pelo "prejuízo".

Nabuco e seus aliados se opuseram a Saraiva e sentiram-se enganados quando o imperador convocou Cotegipe para o Ministério. No ano seguinte, 1886, Nabuco publicou um panfleto intitulado "Os Erros do Imperador". Ironicamente (em vista de suas posições monarquistas nos anos posteriores), Nabuco criticou d. Pedro como sustentáculo da escravidão. Havia muito d. Pedro se dera conta de que a abolição seria o fim da Monarquia, e o imperador utilizava sua influência para silenciar as declarações abolicionistas proferidas pelos oficiais militares.[26] Enquanto isso, incentivados por Nabuco e seus colegas, os oficiais abolicionistas insistiam em seus protestos. Um novo incidente importante envolveu Sena Madureira, desta vez no Rio Grande do Sul, a província fronteiriça brasileira, portanto aquela com a maior guarnição militar. O ano de 1886 também foi marcado pela primeira imigração significativa para São Paulo e pelo início das fugas de escravos em massa, facilitadas agora por muitos cidadãos urbanos.

Em 1887, a imigração, a fuga de escravos, a violência no campo e os protestos militares todos se intensificaram. Ao mesmo tempo, a produção de café se expandiu rapidamente na província de São Paulo, impulsionada pelo crescimento das ferrovias e pelos preços internacionais favoráveis. Visivelmente, a província estava superando Rio de Janeiro como a principal potência econômica do Brasil. Uma parcela crescente dos escravos brasileiros havia sido transferida para São Paulo antes da proibição da venda entre províncias, em 1881. Até 1887, a disponibilidade de mão de obra imigrante, junto à queda no número de escravos por morte, alforria e fuga, convenceu a elite paulista de que a escravidão já não se constituía em solução para ela. Em maio daquele ano, o senador Antônio Prado, magnata ferroviário e fazendeiro, demitiu-se como ministro da Agricultura de Cotegipe. Agindo em conjunto com o principal líder conservador do Nordeste, senador João Alfredo Correia de Oliveira, Prado libertou seus escravos. O equilíbrio de poder havia mudado repentinamente.

No mesmo mês, a questão militar também explodiu nas mãos de Cotegipe. Os oficiais militares (com a participação de Sena Madureira, mas agora liderados por vários generais, um dos quais, o visconde de Pelotas, José Antônio Correia da Câmara, era senador também) emitiram um ultimato ao governo sobre seu direito de discutir questões políticas, inclusive a abolição. Rui Barbosa, político abolicionista, ajudou a redigir esse documento, que recebeu o apoio dos aliados de Nabuco, Rebouças e Taunay.[27] De acordo com um contemporâneo, o Exército chegou perto de lançar um golpe em favor da abolição.[28] Ironicamente, caso esse golpe tivesse acontecido, estaríamos analisando agora por que a Monarquia caiu devido à sua oposição à abolição!

De qualquer maneira, um acordo entre os oficiais militares, a oposição liberal e o ministro Cotegipe deixou este enfraquecido, mas ainda no poder. A essa altura, em junho, o imperador, que estava enfermo desde fevereiro, saiu em viagem à Europa para se recuperar, deixando a princesa Isabel como regente. Cotegipe pediu demissão, mas a futura "Libertadora" pediu que continuasse no cargo. Em junho de 1887, apesar de tudo que já havia transpirado, a princesa ainda não estava pronta para a abolição.

Durante a segunda metade de 1887, a insurreição dos escravos se intensificou em São Paulo, enquanto o Exército se recusava a caçar fugitivos. Orientados por Prado, os fazendeiros paulistas de todas as tendências políticas emanciparam seus escravos, na esperança de que os libertos permanecessem na terra durante a colheita então em curso. A pressão dos pares e a incapacidade de utilizar a força convenceram a enorme maioria de fazendeiros paulistas, até os mais recalcitrantes, a se juntarem de última hora à onda abolicionista. Embora houvesse apenas 700 mil escravos cadastrados no Brasil na época, ou cinco por cento da população total do país, o número real era mais alto, incluindo cativos não registrados, os "libertos" com mais de 60 anos que ainda estavam trabalhando, os "ingênuos" e aqueles libertados sob a condição de continuarem prestando serviços ao patrão.[29] Até 1886, os escravos constituíam quase a totalidade da mão de obra nas fazendas. Ao derrotar um dos ministros de Cotegipe numa eleição interina para deputado, Nabuco voltou à Câmara com força renovada em setembro. Apesar dos apelos dos abolicionistas, dos oficiais e dos fazendeiros paulistas, a princesa Isabel manteve Cotegipe no cargo até março de 1888, quando outro conflito com o Exército a convenceu de que o governo dele havia se tornado insustentável.

A princesa nomeou João Alfredo para presidente do Conselho de Ministros, com Prado como ministro de Relações Exteriores. Juntos redigiram o projeto de lei da abolição. Quando o Parlamento se reuniu em maio, muitos liberais se opuseram inicialmente à medida, achando que seu próprio partido merecia o crédito de haver trazido a liberdade ao país. Nabuco convenceu seus colegas de bancada a votar a favor, e até 13 de maio a lei havia sido aprovada rapidamente por ambas as câmaras.[30]

Com a vitória da abolição, Nabuco e seus aliados poderiam se concentrar nas outras reformas. Nabuco já vinha apoiando o imposto territorial e a reforma agrária, assim como o federalismo e a separação entre Estado e Igreja. Durante os 18 meses entre a abolição e a queda do Império, Nabuco liderou uma campanha por uma monarquia federativa com eleição de presidentes provinciais e mandatos limitados para senadores (que gozavam de nomeações vitalícias segundo a constituição em vigor).[31] Assim como no caso da abolição, a família imperial tinha sua própria agenda em relação ao federalismo e à liberdade de religião. D. Pedro II se opunha invariavelmente àquele, enquanto sua filha era uma ultramontana extrema. Embora discordando da família imperial nessas questões, Nabuco e Rebouças permaneceram abertamente monarquistas, enquanto outros líderes abolicionistas, como Rui Barbosa e José do Patrocínio, menos tolerantes da intransigência da família imperial, acabaram se tornando republicanos.

José do Patrocínio, enquanto ainda era monarquista, observou a formação da "Guarda Negra da Princesa", um grupo de escravos libertos dedicados à defesa da Monarquia contra seus antigos donos na província do Rio de Janeiro, e que agora haviam aderido à República. Embora a safra de café de 1888 tenha sido colhida com sucesso, havia muita tensão no campo. Sem conseguir atrair trabalhadores imigrantes para seus cafezais exauridos, os fazendeiros do Rio de Janeiro viam na lavoura a meias a única alternativa viável. Em São Paulo, os fazendeiros tentaram obrigar seus trabalhadores, tanto ex-escravos quanto imigrantes, a aceitarem contratos de trabalho leoninos. O jornal *Rio News* de 7 de outubro de 1889 se queixou de incidentes nos quais imigrantes eram açoitados, e outros casos em que imigrantes "fugitivos" eram caçados por cães. Muitos fazendeiros paulistas expulsaram os libertos para dar lugar aos europeus. Embora próximo à família imperial, Rebouças expressou sua frustração com a falta de iniciativas do governo em relação ao acesso a terra e educação, tanto para ex-escravos quanto para imigrantes.[32]

A grande iniciativa das autoridades governamentais em 1888 dizia respeito ao crédito para os fazendeiros. Indispostos e incapazes de indenizar os ex-proprietários de escravos pela perda de sua "propriedade" provocada pela abolição, João Alfredo capitaneou uma lei para facilitar a expansão do crédito. Nabuco denunciou essa medida como subsídio para os proprietários, fazendo eco às críticas do *Rio News* e da comunidade mercantil, majoritariamente estrangeira.[33] A questão do crédito rural havia sido uma grande preocupação dos fazendeiros, pelo menos desde o Congresso Agrícola de 1878. Mesmo antes da lei de João Alfredo, o *Rio News* (15/01/1888) sintetizou as preocupações dos reformadores:

> (...)O que precisamos no Brasil, portanto, é uma grande classe de pequenos lavradores, artesãos, mecânicos etc., que serão proprietários e contribuintes, e que estarão profundamente interessados na proteção da vida e da propriedade, na manutenção das escolas, na construção de estradas, pontes etc., e no desenvolvimento inteligente da agricultura e das indústrias qualificadas. As instituições de crédito agrícola, criadas para ajudar os fazendeiros endividados, nunca alcançarão esse resultado.(...)

Até maio de 1889, os fazendeiros fluminenses, liderados pelo senador Paulino de Sousa, resolveram derrubar o ministério abolicionista, que não apenas havia negado a indenização, como também havia agido muito lentamente na distribuição efetiva do crédito rural.[34] Enquanto isso, Antônio Prado e seus seguidores criticaram João Alfredo por não haver provido suficientes subsídios para a imigração, nem avançado em direção ao federalismo (como se o imperador tivesse permitido fazê-lo). Prado deixou o gabinete, enquanto Paulino, numa aliança com a oposição liberal, ganhou a presidência do Senado. João Alfredo se demitiu, e não se achou nenhum conservador que agradasse às diversas facções do partido. Após o fracasso de três conservadores para formar um governo, mais uma vez o imperador convocou o liberal Saraiva. Saraiva reclamou ao monarca que, sem conceder o federalismo, ele não seria capaz de governar. A elite havia chegado a um consenso de que a Monarquia teria que aceitar mais reformas, ou então correr o risco de ser derrubada.[35] Pedro reagiu, nomeando um presidente do Conselho de Ministros liberal de linha rigorosa com um mandato claro de defender o trono; escolheu o visconde de Ouro Preto, especialista em finanças que havia sido acusado de republicanismo, devido a suas posições abertamente reformistas.

Nesse momento de crise, a família imperial interveio decisivamente. Os Braganças induziram Ouro Preto a ceder os Ministérios do Exército e da Marinha a oficiais militares, pela primeira vez desde 1881, e a nomear o ultramontano barão de Loreto (Franklin Doria) ao Ministério do Império. Impedido de introduzir o federalismo ou a liberdade de religião – ainda considerada necessária para estimular a imigração protestante –, Ouro Preto tentou reavivar a Monarquia através de uma combinação de crédito fácil e eleições manipuladas. Embora tenha conseguido nos dois casos, deixou de preservar a Monarquia, que havia desagradado os fazendeiros paulistas ao bloquear o federalismo, e os proprietários fluminense ao promulgar a abolição sem indenização. Após a abolição, vários partidos republicanos haviam surgido país afora.[36] Essas agremiações incentivavam o Exército a se rebelar, e os dois ministros se mostraram incapazes de controlar seus subordinados republicanos. Ao encorajar os oficiais na sua contestação do governo pró-escravidão em 1887 e 1888, Nabuco e seus colegas, inadvertidamente, haviam preparado o caminho para o golpe contra a Monarquia.

O movimento militar de 15 de novembro de 1889 não encontrou nenhuma resistência imediata, enquanto uma maioria de fazendeiros aceitou a República com diferentes graus de entusiasmo. Nabuco, Taunay e Rebouças viram desaparecer sua influência política, enquanto diversos antigos aliados, notavelmente Rui Barbosa, tornaram-se figuras-chave na nova ordem. Rui realizou um importante desejo abolicionista quando mandou queimar os arquivos de escravos, impossibilitando, assim, qualquer futura indenização. Como ministro da Fazenda republicano, Rui Barbosa expandiu as políticas de crédito de Ouro Preto numa tentativa de angariar a boa vontade dos fazendeiros em relação ao regime. Nabuco, decepcionado, continuou sua oposição ao crédito fácil para os ex-donos de escravos, como fizera durante a Monarquia. O governo provisório republicano rapidamente cedeu a todas as medidas federalistas exigidas pelos fazendeiros paulistas que Nabuco havia defendido em campanhas sob o Império: eleição de governadores e senadores estaduais, constituições estaduais individuais, aumento da capacidade tributária dos estados e controle das terras públicas pelos respectivos estados. Os paulistas também ganharam a separação entre Igreja e Estado.

A expansão monetária promovida por Ouro Preto havia provocado uma bolha na bolsa de valores, que foi intensificada por Rui Barbosa e seu sucessor, o barão de Lucena (Henrique de Lucena). Quando a bolha estourou no final de 1891, deixou as instituições republicanas desacreditadas, como corruptas e incompetentes. Como resultado indireto da bolha, o processo de industrialização que se iniciara durante a última década da Monarquia parecia haver se acelerado. Desde a geração de Sousa Franco, os abolicionistas achavam que a escravidão inibia a indústria, e o crescimento pós-abolição provou que estavam corretos. Muito mais do que o crédito fácil, os escravos libertos e imigrantes assalariados acrescentaram uma nova dimensão à demanda por produtos têxteis e outros manufaturados. Dentro da vanguarda do movimento abolicionista, os oficiais militares defendiam a industrialização como peça-chave do seu programa de reformas. O segundo presidente militar, marechal Floriano Peixoto, que ocupou o cargo de 1891 a 1894, portanto depois da bolha, fez um esforço sistemático para estimular a expansão industrial por meio de tarifas e empréstimos, mas obteve resultados medíocres porque gastou grande parte dos recursos financeiros do Estado numa guerra civil que poderia ter sido evitada. Os governos civis que ocuparam o poder depois de 1894, embora menos ostensivamente industrialistas, presidiram sobre um longo período de desenvolvimento que deixou Brasil autossuficiente em muitas indústrias leves.[37]

Constava entre as metas de Nabuco em *O Abolicionismo* a provisão, pelo Estado, de educação para libertos e imigrantes. Durante os 18 meses entre a abolição e a queda da Monarquia, a liderança política deixou de tomar quaisquer medidas para melhorar a quantidade ou a qualidade da educação. Em abril de 1890, a República criou o Ministério de Instrução Pública, com pasta própria. Infelizmente, o motivo dessa medida era manter no gabinete o general Benjamin Constant Botelho de Magalhães, então ministro da Guerra, a quem o presidente desejava afastar desta última função. Benjamin Constant, abolicionista e ilustre intelectual militar, acreditava sinceramente na educação e executou uma reforma importante na academia militar durante seu curto mandato. Com seu pedido de demissão e morte em janeiro de 1891, o governo reincorporou o Departamento de Instrução Pública ao Ministério do Interior. Os sucessivos governos republicanos tentaram poucas reformas adicionais nessa área, enquanto o Brasil mantinha uma das mais altas taxas de analfabetismo do mundo, estando muito defasado em relação à vizinha Argentina. Sem acesso a escolas públicas, as perspectivas permaneciam sombrias para libertos e imigrantes.

Com a República, acelerou-se a substituição de ex-escravos com imigrantes em São Paulo, processo este que havia começado em 1886. Sob o novo regime, o imposto territorial e a reforma agrária deixaram de ser discutidos. Ao longo da Primeira República, de 1889 a 1930, a lei agrária apenas mudou gradualmente em São Paulo, permitindo que os imigrantes mais bem-sucedidos adquirissem suas próprias fazendas. Até 1897, o *Rio News* (5 de janeiro) se queixou que os imigrantes estavam remetendo divisas para fora do Brasil, porque não podiam comprar terra. Os ex-escravos raramente conseguiam acumular dinheiro suficiente para sequer imaginar adquirir uma propriedade. Desde o exílio, através de sua correspondência com Nabuco[38], Rebouças continuava expressando sua preocupação pelo futuro dos libertos. A grande maioria da elite, quando descobriu que os libertos já não representavam uma ameaça, esqueceu de vez os escravos, como o próprio Nabuco parece ter feito.

Enquanto a última década da Monarquia, com a perspectiva da abolição, havia sido de esperança e de altas expectativas, os anos 1890 mostraram ser um período marcado pela decepção. Poucos meses após o início do novo regime, com o antigo abolicionista Rui Barbosa como ministro da Fazenda, o *Rio News* (31 de março de 1890) lamentou:

> (...) O infortúnio do Brasil é que realizou uma grande revolução política repentinamente e sem preparo. Agora, portanto, a nação se vê compelida a desenvolver um sistema novo e mais avançado com os mesmos homens que governaram tão mal o país no sistema antigo (...). Sob o antigo regime, a escravidão, o privilégio especial, o monopólio e o nepotismo eram as pedras angulares sobre as quais a estrutura política do país foi construída, e, quando uma delas foi removida, todo o edifício desabou. Em vez de lucrarem com essa experiência, os líderes do novo regime estão tentando preservar o mesmo alicerce antigo, exceto a escravidão. Não enxergam que uma República construída sobre privilégios especiais de classe que discriminam injustamente contra muitos para favorecer poucos, sobre monopólios destrutivos que obstruem a empresa privada e destroem a livre iniciativa e sobre um sistema nepotista de governo que centraliza o poder oficial e cria canais para a distribuição de favores especiais (...). Uma República em que o

privilégio e a autoridade militares predominam, e onde as leis são feitas para a vantagem especial e a proteção dos grandes proprietários e fazendeiros, muito provavelmente resultará no despotismo militar, ou numa oligarquia.(...)

Portanto, a década de 1890 começou com as falcatruas da bolha na bolsa de valores, teve um conflito civil sangrento no meio e terminou com o primeiro *default* do país no pagamento da dívida externa. Enquanto isso, sem escravos, a produção de café entrou em colapso no Rio de Janeiro. Até o final da década, os reformadores que ainda estavam vivos, como Lamoreux do *Rio News*, anunciaram que infelizmente a abolição não havia criado uma sociedade mais justa como consequência.[39]

Após a queda dos Braganças, Joaquim Nabuco abraçou a causa do monarquismo, voltou à Igreja Católica e até escreveu sobre a escravidão em tons sentimentais, mas no decênio entre 1879 e 1889 desempenhou papel decisivo em diversos movimentos por reformas sociais e políticas. Nabuco e seus colegas viam a abolição como o primeiro (e decisivo) passo em direção à modernização e à prosperidade do Brasil. As outras reformas incluíam o federalismo, a separação entre Igreja e Estado, a ampliação do sufrágio, a expansão da educação, o desenvolvimento da indústria e o que hoje chamamos de "inclusão social", que na época significava acesso a terra para ex-escravos e imigrantes. Tanto os sucessos quanto os fracassos dos reformadores durante essa década decisiva determinaram o curso do desenvolvimento social do Brasil durante pelo menos o século seguinte.

NOTAS

1 Joaquim Nabuco. *O Abolicionismo*. Brasília: Editora Universidade de Brasília, 2003, 188.

2 John Schulz. *O Exército na política*. São Paulo: Edusp, 1994, 35–52.

3 *O Paiz*, 21–26 de outubro de 1887.

4 Nabuco, 117.

5 *Ibid.*, 74.

6 Alberto Rangel. *Gastão de Orleans*. São Paulo, 1934, 352.

7 Nabuco, 79–80.

8 *Congresso Agrícola de 1878*, 155.

9 *Ibid.*, 163–164.

10 *Ibid.*, 76.

11 *Rio News*, 15 de abril de 1879.

12 *Ibid*, 7 de outubro de 1889, sobre chicotes e cães. *Congresso Agrícola*, 245–246 sobre lavoura a meias.

13 *Congresso Agrícola*, 76.

14 *Ibid.*, 139, 164 e 97 respectivamente.

15 Victor Viana. *O Banco do Brasil*. Rio de Janeiro, 1926, 513.

16 *Rio News*, April 14, 1879.

17 André Rebouças. *Diário*. Rio de Janeiro, 1938, 290, 295, 301, 304 e 313.

18 Nabuco, 123.

19 Schulz, *Exército*, 87–90 e *Tribuna Militar*, 28 de julho de 1881.

20 Sobre Nabuco, ver Nabuco, 76; sobre os oficiais, ver *Tribuna Militar*, 27 de outubro de 1881.

21 *O Soldado*, 22 de março de 1881.

22 *Tribuna Militar*, 3 de novembro de 1881.

23 Robert Conrad. *The Destruction of Brazilian Slavery, 1850–1888*. Los Angeles, 1972, capítulo 4.

24 Nabuco, 13.

25 Em Nabuco, 200, o autor ataca a escravidão com base no resultante atraso para o crescimento industrial, portanto expressa indiretamente seu apoio à industrialização.

26 Eusébio de Sousa. *Tibúrcio*. Rio de Janeiro, 1938, 106.

27 Schulz, *Exército*, 116.

28 Tobias Monteiro. *Pesquisas e Depoimentos para a História*. Rio de Janeiro, 1913, 145–147.

29 *Rio News*, 15 de janeiro de 1888.

30 *Ibid.*, 14 de janeiro de 1889.

31 *Gazeta de Noticias*, 8 de agosto de 1888 e *Diário do Maranhão*, 25 de agosto de 1888.

32 Rebouças, 315 e 343.

33 *Rio News*, 15 de agosto de 1888.

34 John Schulz. *The Financial Crisis of Abolition*. New Haven, Yale University Press, 2008, 64–68.

35 *Gazeta de Notícias*, 12 de junho de 1889 e *Rio News*, 17 de junho de 1889.

36 *Diário do Maranhão*, 11 de agosto de 1889.

37 Schulz, *Financial Crisis*, 94–95.

GLÓRIA NO CREPÚSCULO: O ATIVISMO DE NABUCO, SUAS MEDITAÇÕES E A ESCOLHA PELA DIPLOMACIA[1]

Jeffrey D. Needell

JOAQUIM NABUCO TORNOU-SE UMA DAS PRINCIPAIS figuras políticas de sua época apesar de sua aversão à política. Como ele mesmo admitiu, dedicou-se ao abolicionismo por um senso de dever e um vínculo pessoal. Criado como um pequeno príncipe num engenho tradicional de Pernambuco, cresceu sentindo-se especial e ciente de seus direitos, sentimentos esses que parecem ter sido reforçados com o tempo por seu talento literário, seu carisma e seus admiráveis dotes de orador. Colocou tudo isso a serviço dos escravos – não tanto por ambição política, mas por ambição à glória de ser reconhecido como grande reformista de sua nação.[2]

Nisso Nabuco foi extremamente bem-sucedido, tal como sugere nosso encontro aqui. Nabuco não teria sido nomeado embaixador nos Estados Unidos se antes não tivesse feito tanto para redimir o Brasil aos olhos de seus conterrâneos e na opinião das elites estrangeiras que os brasileiros de sua época consideravam o símbolo da Civilização. No entanto, após o seu grande triunfo político de 1888, recolheu-se de sua glória com uma profunda sensação de fracasso e um presságio de morte. Aproveito esta oportunidade hoje para propor uma reflexão sobre as causas desses sentimentos, bem como para destacar certas continuidades e metamorfoses no pensamento de Nabuco que explicam suas esperanças com relação à abolição e seu desânimo com seus resultados visíveis. Veremos ainda como, no final da vida, ele procurou redimir a si mesmo e a sua nação uma segunda vez.

I : O RADICAL ROMÂNTICO

Uma análise da juventude de Nabuco deixa claro que sua primeira ambição foi literária. Apesar de seus óbvios talentos para advogado e político, sentiu-se atraído pelo mundo das letras e seus antecedentes europeus. No entanto, as ambições e os interesses que o motivaram a viajar pela Europa, a garantir postos diplomáticos glamourosos no Atlântico Norte e a começar uma carreira literária como forma de alcançar a glória nacional foram postos de lado com a morte do pai, José Tomás Nabuco de Araújo, e o retorno do partido do pai ao poder em 1878.[3]

Nabuco fora um radical e um abolicionista enquanto estudante e recém-formado, entre as décadas de 1860 e 1870, quando seu pai era um dos maiores defensores da abolição gradual da escravatura, um dos chefes da Liga Progressista e porta-voz do recém-radicalizado Partido Liberal. O retorno do Partido Conservador ao poder em 1868, que havia derrotado a Liga e inspirado a oposição radical dos liberais, já começara dez anos antes, período em que o imperador se recusara a permitir a volta ao poder dos liberais. Para os Nabuco, isso significou o ostracismo político e a adoção do reformismo radical do Manifesto de 1869, que exigia reformas constitucionais e sociais profundas. Esse era o ambiente político em casa, enquanto os liberais procuravam ampliar suas bases de apoio, principalmente nas cidades, e esperavam pelo momento de virada, em que o imperador os chamaria de volta ao poder. Uma década longe do poder permitiu ao jovem Nabuco dedicar-se a escrever, viajar e criar uma reputação de dândi e homem dado a mulheres, mas a morte do pai (exatamente na véspera das eleições de 1878, que se seguiram à volta dos liberais ao poder) pôs um súbito fim nisso tudo. O jovem

Nabuco atendeu às expectativas da família de assumir o legado político do pai, mas o fez a seu modo.[4]

Desde o começo da carreira política de Nabuco, ficou claro que se sentia desconfortável com as negociações e lealdades partidárias, eleitoreiras e personalizadas, inevitáveis na política tradicional. Graças ao status de seu pai e de sua família, porém, essa parte podia ser deixada nas mãos dos outros. O que Nabuco queria era uma causa, uma reforma radical que pudesse iniciar a transformação da nação aos olhos da Civilização e do Progresso que ele havia estudado e explorado. Como em outros radicais urbanos da época, podia-se notar um desejo de confronto e um certo grau de demagogia. Havia inúmeras causas que podiam ser abraçadas por essas pessoas. No entanto, apesar do apoio de Nabuco e outros, por exemplo, à revolta urbana de 1880 motivada pelo aumento das passagens dos bondes, tais assuntos mundanos, como as dificuldades financeiras das massas urbanas da época, tinham um apelo limitado, e podiam ser rapidamente apaziguados com uma reforma mínima. Não representavam uma verdadeira transformação. Já a abolição era diferente. A escravidão estava identificada com a própria natureza e os fundamentos do Estado e da sociedade imperial. Na visão de Nabuco e de vários outros de sua geração, a abolição era simplesmente a mais importante de uma série de reformas a ela relacionadas. Uma vez realizada, os demais obstáculos para o futuro do Brasil cairiam naturalmente.[5]

Ao assumir o abolicionismo, o segundo a fazê-lo na Câmara dos Deputados em 1879, Nabuco deixou clara desde o início sua ambivalência com relação à política, assim como sua independência da liderança de seu partido. Abraçar tal causa era suicídio político; a liderança do partido, apoiada pela maioria, tinha atacado o abolicionismo gradual da Lei do Ventre Livre de 1871. No entanto, o compromisso de Nabuco com a causa dos escravos, bem como sua incrível habilidade de encontrar e cultivar aliados pessoais para esse fim, estava evidente. De 1879 a 1888, ele nunca deixou de colocar a sua causa em primeiro lugar – e seu partido não ocupava sequer o segundo lugar, a não ser pelo fato de suas facções radicais, em Pernambuco e no Parlamento no Rio, servirem à mesma causa.[6]

Em 1888, o abolicionismo tinha dividido os dois partidos. Os liberais, cuja maioria recusava-se a apoiar a reforma e cuja liderança geralmente a rejeitava como potencialmente divisiva, finalmente perderam o poder, depois de vários gabinetes fracos e efêmeros entre 1879 e 1885. O imperador recorreu, então, aos conservadores. Estes, embora a maioria rejeitasse a reforma como inconstitucional, uma imposição pouco prática do monarca e de um grupo radical marginal, entendiam que de alguma forma era preciso atender a um movimento radical e a um monarca frustrado, e a reforma, mesmo que limitada, era a única possibilidade de satisfazer o imperador e reencontrar o caminho da união nacional. Essa possibilidade realizou-se no governo Cotegipe de 1885-1888. [7]

Inicialmente, o preço foi quase inaceitável – Cotegipe tinha que adotar a legislação abolicionista sexagenária que o gabinete reformista liberal de Dantas não conseguira aprovar em 1884. No entanto, a versão que Cotegipe de fato implementou era reacionária. Em seguida, Cotegipe inesperadamente assumiu uma posição firme contra quaisquer outros avanços abolicionistas. Conseguiu interromper ou desacelerar a reforma no Parlamento e perseguiu agressivamente o movimento abolicionista nas ruas e zonas rurais. A posterior radicalização desse movimento, nascida da frustração e da resistência, ajudou a causa a avançar, cada vez mais rápido, até obrigar a Coroa a remover Cotegipe do cargo e convocar a ala reformista do Partido Conservador a assumir, chefiada pelo gabinete de João Alfredo (1888-1889). Coube a João Alfredo conter os sucessos radicais do movimento ao legitimá-los sistematicamente em 1888.[8]

Estrategicamente, João Alfredo fez uma aliança tática com a liderança abolicionista, sem dúvida como parte de sua tentativa bem-sucedida de pôr fim à rápida deterioração da ordem social e política. Depois da abolição, o apoio da liderança abolicionista permaneceu importante, pois, enquanto o Partido Conservador teve que aceitar as realidades políticas que a abolição da escravatura abordava, as lideranças tradicionais e a maioria do partido eram contrárias à decisão e ao gabinete que a executara. Assim, o gabinete de João Alfredo, embora nominalmente conservador, tinha o apoio do monarca e das facções abolicionistas dos dois partidos, num arranjo inerentemente frágil do qual Nabuco representava uma força importante.

Inicialmente, Nabuco pode ter apoiado João Alfredo porque ele e outros líderes do movimento tinham razões para crer que o presidente do Conselho de Ministros poderia continuar trabalhando com eles a favor da reforma. Essa esperança, apesar de bem fundamentada em discussões e informações antes do 13 de Maio, dissipou-se rapidamente no período que se seguiu. Entretanto, Nabuco continuou arregimentando o apoio dos abolicionistas ao gabinete, por gratidão pela Lei Áurea, pelo desejo de evitar a volta ao poder da maioria reacionária do Partido Conservador e por uma avaliação realista da falta de potencial reformista na maioria moderada do Partido Liberal e de sua liderança.[9] Uma vez, explicou sua posição pós-abolição observando que apoiava o gabinete conservador de João Alfredo, embora liberal,

> de modo que... ...[João Alfredo] pudesse aprovar a lei em poucos dias, como fez, e depois da lei somente [o apoiei] para impedir a vingança das forças pró-escravidão... A minha política infelizmente é por demais elevada e reta para se adaptar ao zigue-zague e ao baixo nível das transações políticas [entre os liberais] que permitem ao sr. Dantas [reformista] e ao sr. Leão Veloso [moderado] figurarem na liderança do mesmo partido... A Abolição – acredite, senhor – foi uma revolução social de consequências incalculáveis. A essa revolução permanecerei fiel até o fim; são as mudanças dos partidos e as revoluções políticas que não me interessam minimamente, na medida em que não afetam a fortuna do nosso povo, que os políticos dos dois partidos usam a fim de alcançar o poder e dividir o espólio entre seus amigos, mas a quem não sabem como servir.[10]

Na análise de Nabuco daquela época, os dois partidos, divididos e esgotados pelo abolicionismo, estavam falidos e arrasados.[11] O que se fazia necessário eram novos líderes e um novo partido, para realizar as reformas remanescentes, visando a reavivar a Monarquia e evitar uma reação chefiada pelos ex-donos de escravos. Cada vez mais, Nabuco identificava essa reação com o Partido Republicano, cujas fileiras estavam repletas de antigos donos de escravos e outros dispostos a eludir o potencial democrático de uma Monarquia reformista. Ao discutir sobre o republicanismo com um importante aliado radical em Pernambuco, José Marianno, Nabuco afirmou:

> Não se deixe enganar! A causa do povo não é a República... qualquer que seja o caráter democrático do movimento no Norte, no Sul é uma explosão de ódio e rancor contra a lei de 13 de Maio... É o amor pelos escravos e por Pernambuco, as duas paixões da minha carreira política, que me leva a identificar-me hoje com o liberalismo monárquico contra a revolução republicana.[12]

Tudo indica que foi somente a convicção de Nabuco de que a Monarquia estava em perigo com a presença desses elementos que o manteve na política. Em novembro de 1888, escreveu a um amigo inglês: "Todo o meu esforço é fazer da Monarquia a criadora e protetora da única democracia que podemos ter no Brasil – a do verdadeiro povo. Se eu for bem-sucedido e a Monarquia seguir o seu curso traçado pelo 13 de Maio... então terei sido fiel à direção e à causa que desejo que o meu país assuma."[13]

II. O AFASTAMENTO DA POLÍTICA

João Alfredo saiu do poder em 1889, derrotado por uma aliança de conservadores antiabolicionistas e a oposição liberal. O imperador, que favorecera a reforma e desconfiava da maioria conservadora reacionária e sua liderança, convocou para assumir o poder um dos mais ambiciosos líderes liberais, o visconde de Ouro Preto, certamente na esperança de evitar uma reação, ou quiçá até promover a reforma. Dada a maioria conservadora da Câmara, o imperador concordou em dissolvê-la e convocar novas eleições. Nabuco, exausto com a vitória de 1888 e afastado das ambições e interesses de seu próprio partido, estava hesitante quanto a candidatar-se.[14] Finalmente resolveu sua ambivalência decidindo tentar, na esperança de continuar defendendo a Monarquia, pelo menos, que agora identificava com uma esperança futura de reforma que beneficiasse o povo brasileiro. Escreveu a um amigo sobre sua decisão de voltar a Pernambuco, "onde minha candidatura está ameaçada... Eu... acredito estar cumprindo o meu papel, porque uma vez acabada a Monarquia, tudo estará acabado, e ainda há muito para se salvar."[15] No entanto, apesar de sua campanha por uma organização constitucional mais descentralizada, uma federação, uma reforma política liberal clássica que defendia desde 1885, já estava hesitante quanto ao ativismo político. Emocionalmente extenuado, politicamente temeroso e frustrado e fisicamente debilitado, foi se afastando da esfera pública, em direção a uma forma de sucesso mais pessoal e privada.[16]

Nos meses que se seguiram à Lei Áurea, seus pensamentos voltaram-se para o casamento e a família. Não era a primeira vez. Ele conquistara o coração de Eufrásia Teixeira Leite, uma atraente herdeira brasileira que morava em Paris, em sua primeira viagem à Europa, quando jovem, em 1873. Suas esperanças de casamento, frustradas logo no início pela recusa da jovem em voltar a morar no Brasil, foram reavivadas no final dos anos de 1870 e continuaram acesas até 1886, quando Nabuco finalmente desistiu e rompeu de vez o relacionamento.[17] Em novembro de 1888, com a saúde debilitada e cada vez mais incerto quanto a continuar na política, Nabuco conheceu Evelina Torres Soares Ribeiro, outra herdeira, e a cortejou, casando-se com ela em abril de 1889. Estava claramente determinado a encontrar a felicidade pessoal numa nova família ao lado de Evelina, com a ajuda da vultosa fortuna que ela trazia como dote.[18]

No período entre as sessões legislativas, ele e a esposa partiram para uma breve lua de mel nas repúblicas platinas. Na volta, qualquer preocupação que ainda tivesse sobre seu futuro político no Partido Liberal dissipou-se no calor do golpe de 15 de Novembro. No dia 17 de novembro, com a decisão do imperador de evitar a guerra civil abdicando e aceitando o exílio para ele e sua família, a República já era um fato consumado.

No contexto dos primeiros anos da República e sua nova vida familiar, Nabuco foi obrigado a se adaptar a uma série de mudanças profundas. Sem dúvida, a natureza do novo regime era no mínimo tão significativa quanto suas circunstâncias privadas. A fase militar da República, de 1889 a 1894, assim como o governo civil de transição de Prudente de Moraes, representou uma era de grande instabilidade, perda e perigo pessoal para Nabuco, seus parentes e a maioria de seus amigos. Dada a sua visão do golpe, como sendo a vingança dos donos de escravos e culpa de uma elite político- partidária dividida, a ambivalência de Nabuco com relação a uma carreira política evoluiu lentamente em direção a uma total retirada da política, o que se deu em duas fases. A primeira, de 1889 a 1894, foi um período de oposição pública ao regime, incluindo uma série de publicações criticando-o como uma tirania violenta e incompetente, divorciada da tradição brasileira e dos interesses do povo. Em particular, também acusava o regime de estar entregue à corrupção financeira e de promover interesses privados.[19] A segunda fase, de 1894 a 1898, foi vivida durante um retorno incerto a uma aparência de direitos civis sob liderança civil. Nessa fase, Nabuco primeiro juntou-se a outros monarquistas numa oposição partidária ativa; em seguida, após algumas desavenças sobre a direção que a liderança do partido queria tomar, rompeu com eles (1896) e retirou-se completamente da política ativa, tornando-se de fato um homem de letras.[20]

Na verdade, entre 1889 e 1896, o papel político ativo de Nabuco consistiu em fazer propaganda oposicionista. Nessa atividade, explicava sua preferência pela Monarquia e condenava a opção pela República, numa série de publicações respondendo a chamados públicos por sua adesão ou a eventos políticos do dia. Suas atividades eram necessariamente circunscritas pelas restrições impostas pelo regime, onde a censura, a prisão, o ataque físico e a vigilância privada eram a norma.[21]

Essa difícil fase de oposição entrelaçou-se com dificuldades da vida particular de Nabuco. Com a piora da situação financeira no Brasil, ele rapidamente decidiu investir a fortuna da esposa em Londres, com grande sucesso; animado, resolveu aumentar ainda mais as perspectivas da família. Durante sua viagem ao Rio da Prata, Nabuco ficara impressionado com a expansão econômica da Argentina nos anos de 1880. Decidiu reinvestir sua fortuna lá, mas dessa vez o momento escolhido foi o pior possível. Seus investimentos perderam-se totalmente no colapso de 1890. Esse desastre financeiro, aliado ao estabelecimento da República, levou-o a mudar-se com a família para Londres, na esperança de fugir do novo ambiente e ganhar a vida como advogado de empresas, usando as já antigas relações diplomáticas, financeiras e comerciais entre a Inglaterra e o Brasil. Mas esse projeto também não prosperou, e Nabuco voltou para o Rio com a família em meados de 1891 – para retornar à Europa mais uma vez no fim do ano, após o golpe de Deodoro e sua subsequente renúncia sob a pressão de Floriano e seus aliados. De volta a Londres, tentou estabelecer-se profissionalmente mais uma vez, e novamente fracassou. Foi obrigado a voltar para o Rio em setembro de 1892, onde permaneceria, profissionalmente fracassado, financeiramente arruinado e politicamente alienado, até o final da década. Durante o período, as suas responsabilidades familiares aumentaram consideravelmente, pois sua jovem esposa deu-lhe quatro filhos.[22]

No Rio, as esperanças iniciais de restauração da Monarquia foram se dissipando gradualmente, até desaparecer por completo.[23] Nabuco, seus familiares e amigos, principalmente durante a revolta naval de 1893–1894, tornaram-se vítimas constantes da tensão e do medo, num clima dominado por prisões arbitrárias, censura, insegurança e espionagem política que os deixou cada vez mais isolados. Num episódio particularmente doloroso, o cunhado de Nabuco, Hilário de Gouveia, médico renomado, foi preso e mantido incomunicável. Nabuco, filho de ministro, várias vezes deputado e líder nacional do triunfante movimento abolicionista, não conseguiu nem mesmo vê-lo, muito menos libertá-lo ou determinar quando e se seria libertado. Foi sua irmã que enfrentou as autoridades – ele, a figura mais proeminente da família, não teve qualquer influência. Na verdade, chegou até a hesitar em representar o parente, pois temia que sua própria presença prejudicasse o caso. Na maior parte do tempo, limitou-se a percorrer discretamente o caminho entre sua casa e a da irmã, tentando oferecer apoio moral e obter informações, e sabendo o tempo todo que corriam boatos de que ele teria sido preso nas mesmas condições. De fato, um homem parecido com ele fora detido e somente fora solto uma vez confirmada sua identidade. Sua esposa começou a insistir em que evitasse dormir em casa. A situação resolveu-se gradualmente. Hilário fugiu, sua família foi ao seu encontro na Europa, a revolta fracassou e, pouco depois, a fase militar dos primeiros anos da República terminou com a ascensão ao poder de Prudente de Moraes, que começou seu difícil governo, sob ataque constante, em 1894. Logo no início, Nabuco recebeu uma oferta para integrar o governo e um chamado público de adesão. Mais uma vez, porém, recusou.[24]

Desde o golpe de 1889, Nabuco acreditava que a República era uma reação à abolição e ao claro potencial da Monarquia para continuar as reformas necessárias. Na verdade, Nabuco argumentava em público e em particular que o novo regime minava a tradição política liberal da Monarquia e ameaçava lançar o Brasil na barbárie instável comum nas outras repúblicas latino-americanas. A corrupção pública, as mudanças no regime, a violência nas ruas, a suspensão do estado de direito e a guerra civil dos primeiros anos da República somente reforçavam sua convicção. Em seu diário, durante a revolta da Armada, observou, com relação à intervenção externa para proteger os estrangeiros no Rio, que "na anarquia é uma obra de misericórdia das [grandes] potências salvarem os seus nacionais da pilhagem, e nunca nenhuma nação levou a mal o auxílio estrangeiro à ordem pública e à civilização ameaçada! Pobre América Latina! Que sorte a tua!"[25] As esperanças de Nabuco por uma restauração da dinastia durante sua primeira estada na Europa baseavam-se na expectativa desesperada de uma rápida correção no contexto de óbvia calamidade nacional. No entanto, à medida que ficou claro que a dinastia não estava disposta a voltar sem sinais de um apoio nacional geral, o monarquismo de Nabuco tornou-se mais ponderado e ele começou a conceber uma cruzada política de longo prazo. Sua correspondência e suas conversas com outros monarquistas demonstravam diferenças crescentes. No começo de 1896, escreveu a Eduardo Prado que

> não é preciso ser mais realista que o rei, ou seja, mais apressado que a dinastia, que, entendendo perfeitamente a situação, não se mexe e parece até indiferente à eventualidade de uma restauração.... Eu promoveria uma política nacional, não partidária [num jornal monarquista], e na parte dedicada à Monarquia eu discutiria a *monarquia do futuro*, porque a verdade é que os monarquistas ainda estão muito longe da Terra Prometida, estão apenas cruzando o Mar Vermelho; só nos resta esperar que a travessia do Deserto não seja longa....[26]

A ala que poderíamos chamar de Velha Guarda, composta dos maiores estadistas dos dois grandes partidos do antigo regime, tendia a enfatizar as consequências negativas da República, em vez das eventuais vantagens de um retorno à Monarquia. Eles defendiam a restauração do antigo *status quo*, do qual Nabuco, evidentemente, tinha uma visão diferente. Como reformista radical, fizera oposição a esses líderes durante os últimos dez anos do regime, procurara efetuar mudanças drásticas no *status quo* e não podia aceitar que essa fosse a direção do novo partido que a Velha Guarda estava formando. Embora se esforçasse muito para cultivar uma reconciliação pessoal com todos eles, simplesmente não concordava com sua visão essencialmente reacionária. Ele não aceitara o *status quo* antes de 1889, e não estava preparado para apoiar um retorno àquela situação agora. Tal como afirmou na carta citada acima, ele queria, isso sim, organizar um monarquismo reformista, um partido monarquista do futuro, para atender às demandas da nação e ajudá-la a avançar.

Em janeiro de 1896, porém, numa reunião na casa de Nabuco, a Velha Guarda corroborou sua perspectiva, organizou um novo partido e criou um jornal, o *Liberdade*. Eles esperavam que Nabuco continuasse ao seu lado e ofereceram-lhe o cargo de co-redator-chefe do jornal. Em março, porém, Nabuco recusou a oferta e decidiu romper com o partido e retirar-se da vida pública. Como acontecera no passado, havia uma certa ambivalência; ele tinha uma afinidade ideológica maior com Eduardo Prado e, quando este lhe ofereceu a direção do seu jornal, *Commercio de São Paulo*, pensou seriamente em associar-se a ele. No final, porém, a decisão de deixar a política prevaleceu; os textos que publicou no jornal de Prado, muitos dos quais seriam incluídos mais tarde no volume *Minha formação*, consistiam mais em reflexões pessoais do que discussões políticas, que ele evitava explicitamente.[27] Em 22 de março de 1896, após notar a oposição pública dos militares tanto aos monarquistas quanto a Prudente, Nabuco declara sucintamente: "Hoje formei a resolução de retirar-me da política. Não posso associar-me. Não tenho com quem. Quem compreendeu o seu papel foi o Rebouças."[28] A referência a Rebouças, seu melhor amigo na luta abolicionista, é explicada em 1900, quando Nabuco relembra sua decisão de 1896:

> Eu desistia assim de lidar de ora em diante com partidos e com acontecimentos; minha esfera tornara-se toda subjetiva... [sic] "Há épocas em que o associar-se, ainda mesmo com outros melhores do que nós, é trair o ideal próprio que cada um tem em si e que lhe cumpre a seu modo lapidar e polir ao infinito." Esta minha frase sobre o isolamento de André Rebouças... exprime muito do meu próprio sentimento... [sic] É preciso roubar ao mundo uma parte da vida, e é melhor que

seja a final, para dá-las aos pensamentos e às aspirações que não queremos que morram conosco.[29]

Essa escolha de 1896 de abdicar do compromisso político não deve ser entendida como algo iniciado naquele momento, mas como a etapa final de uma série de decisões, um processo, iniciado em 1889, composto não só de alienação política, mas de uma nova introspecção, um novo papel doméstico e uma consequente retomada de interesses literários e intelectuais. Essa introspecção estava intimamente ligada a uma mudança significativa na vida espiritual de Nabuco – um retorno ao catolicismo.

Nascido e criado como católico no interior de Pernambuco, Nabuco rejeitara sua fé ao adquirir a sofisticação, o materialismo e o ceticismo que estavam em voga entre os homens instruídos da sua geração. Agora, enfraquecido em meio às ruínas da vida e das ambições que nutrira após sua formatura, voltou a ansiar pela fé da infância. Mais tarde afirmaria que sua abertura para esse retorno teria nascido das orações dos escravos e de sua esposa, profundamente católica. No entanto, foi ele que, durante seu exílio de 1892 em Londres, dirigiu-se a uma igreja católica para rezar e sentiu um desejo súbito de confessar suas dúvidas e necessidades a um padre clemente.[30] A sensação de felicidade e liberação que conheceu então amparava a vida familiar profundamente moralista e voltada para dentro que ele e sua esposa construíram para criar os filhos. De fato, um tema constante de sua correspondência e seu diário é o registro de sua fé e a de sua família, e a sensação de que ela, com a sua, consistia no único fundamento seguro da felicidade que conhecia então. Em 1893, confidenciou a Rebouças que "Minha mulher e meus filhos formam o círculo dentro do qual sou intangível. Quanto mais esse círculo nos protege, mais nos aperta. Não se pode sair dele, mas pode-se subir [dentro dele] para Deus. 'Viver oculto' é a melhor divisa – a de Proclus."[31] É interessante observar que, apesar da ansiedade crescente com relação ao provimento da família grande e à educação dos filhos, que permeia seu diário e suas cartas, transparece claramente também um extraordinário envolvimento com seus filhos. Algo que vai além da preocupação com a saúde e a educação, e que revela o encanto de poder participar novamente das alegrias inocentes da infância.[32]

Parte desse interesse em sua família e na maneira como seus filhos cresciam parece estar ligada a seus interesses literários. Embora Nabuco pretendesse escrever uma biografia do pai desde o início da década de 1880, e embora existam alguns sinais precoces de um desejo de uma autobiografia também, foi nos anos de 1890, como parte de uma espécie de reparo e acerto de contas pessoal, que Nabuco escreveu as duas obras que lhe deram a merecida fama.[33] *Um estadista do Império* e *Minha formação* precisam ser entendidos como tentativas de Nabuco de interpretar os mundos que havia perdido, mas dos quais derivaram suas origens políticas e seus ideais. As duas obras são, respectivamente, uma despedida intelectual e uma avaliação do meio e das instituições políticas que haviam moldado seu pai e que este ajudara a moldar e das influências que Nabuco entendia como a explicação de sua própria perspectiva e carreira política. A primeira obra contempla apologia, reabilitação e uma interpretação esmerada dos meandros da Monarquia. A segunda faz uma avaliação de como ele assumiu seus antigos compromissos políticos, mas somente à luz de uma análise e despedida lírica e ponderada.

Embora este não seja o lugar para fazer uma crítica cuidadosa das duas obras, é importante entender sua função no desenvolvimento de Nabuco e em seu papel público da época e posterior. Nabuco foi bastante franco; escreveu *Um estadista* como ato de homenagem e respeito pelo pai e pelo potencial liberal do regime com o qual o identificava. Também funcionou como crítica da República (implicitamente) e como consolo durante os anos mais ameaçadores do regime. Finalmente, permitiu a Nabuco um reconhecimento crescente da carga e do significado patriótico essencial e duradouro da Monarquia na história do país.[34] Quanto a *Minha formação*, escrito exatamente no período em que deixa a política, foi a tentativa de Nabuco de entender em que ele havia se tornado, como figura política, no momento em que decide mudar de rumo. Conclui o livro com uma afirmação clara de sua intenção de passar os últimos anos mergulhado em reflexões como homem de letras.[35] Eis como se expressa no fim da obra:

> Posso portanto terminar aqui a história de minha formação política, e mesmo de toda a minha formação, porque das novas influências que me vão dominar no resto da vida, a religiosa já se a encontrou na infância e a das letras na mocidade. As letras lutaram em mim anos seguidos... contra a política, sempre com superioridade, até vir a abolição, que durante os dez anos as relegou, como tudo mais, a imensa distância. Extinto este grande foco de atração, nenhum outro teria o mesmo poder contra elas... Ainda assim talvez tenha apenas havido entre elas e a política uma verdadeira fusão... A história é com efeito o único campo em que me seria dado ainda cultivar a política, porque nele não terei perigo de faltar à indulgência... nem à tolerância... sob que meu espírito cristalizou.[36]

De fato, foi nesse período de redescoberta pessoal, trabalho literário e introversão que Nabuco criou um novo ambiente para si, nas reuniões explicitamente apolíticas que levaram à fundação da Academia Brasileira de Letras em 1897 – cujo discurso inaugural coube a ele, celebrando justamente o caráter apolítico da Academia, bem como seu papel profundamente nacional e patriótico.[37] É impossível deixar de perguntar-se se o seu papel na concepção e criação da Academia não teria lhe dado mais satisfação do que a honraria anterior (1896), uma nomeação para o Instituto Histórico e Geográfico Brasileiro, instituição tão intimamente ligada ao meio intelectual do finado imperador e do antigo regime.

III : O RETORNO AO SERVIÇO PATRIÓTICO

Já foi analisada aqui a recusa de Nabuco em aderir à República durante toda a década após o golpe de 1889. Inicialmente, tornou públicas suas razões, quando seus correligionários de Pernambuco lhe pediram que participasse do novo regime. Repetiu o gesto quando Prudente assumiu o poder e alguns monarquistas e um amigo íntimo, o barão de Jaceguai, lhe pediram que reconsiderasse a decisão. Naquela época, como observei, Nabuco ainda se sentia preso à esperança de um regime monarquista, mesmo que num futuro distante.[38]

Foram decisões com consequências financeiras importantes. Além de não receber um salário oficial, a determinação de Nabuco em não se associar à República pode ter minado sua tentativa de representar os interesses britânicos no início da década de 1890. Como durante a Monarquia, o governo nacional era um fator crítico nas concessões, no apoio e nos investimentos. O fato de ser *persona non grata*, por escolha própria, também pode tê-lo prejudicado no estabelecimento de um escritório de advocacia no Rio; o escritório que abriu em 1895 com o sócio João Alfredo, outro monarquista, teve vida curta. Pelo que é possível deduzir de sua correspondência e seu diário, a família sobrevivia graças ao pouco que restava da herança de Evelina, o empréstimo (e, em seguida, a herança) de uma casa em Botafogo e férias ocasionais em Petrópolis na casa de parentes ou na fazenda de Maricá da família de Evelina.[39] Para uma família com suas origens, isso significava pobreza, e aparentemente era motivo suficiente de preocupação para aparecer nas conversas e impressionar até mesmo as crianças. A filha mais velha, Carolina, avaliou a fortuna dos pais, observando que, em 1895, "a de mamãe já tinha uns fiapos, a de papai nem um fiapo."[40]

Nabuco tentava melhorar as circunstâncias com o pouco que conseguia ganhar escrevendo para jornais; seus contatos nesse meio, muitas vezes remontando à época do abolicionismo, eram excelentes. Embora tenha trabalhado bastante para os jornais monarquistas, *Jornal do Brasil* e *Commercio de São Paulo*, durante sua trajetória relativamente curta,[41] era especialmente favorecido para empreitadas europeias a pedido da "grande dama" dos diários do Rio, o *Jornal do Commercio*. Essa relação só fez melhorar com o tempo, tal como esperado; o *Jornal* estava sob o comando de José Carlos Rodrigues, um velho amigo que despontava então como uma das figuras mais influentes na política da República, tendo assumido a direção do *Jornal* em 1890.[42]

Entretanto, tudo isso representava um ganho escasso para alguém com o status e as responsabilidades de Nabuco. Em 1896, Nabuco começou o ano rezando para "a virtude da pobreza." No fim de 1898, aceitava a oferta de Rodrigues de fazer umas traduções.[43] Já em 1893, Nabuco começou a pressionar seu velho amigo Artur de Sousa Corrêa, ministro brasileiro em Londres, por um novo cargo na Inglaterra ou, se não em Londres, no Brasil, como assessor ou agente financeiro dos Rothschilds.[44] Embora tivesse voltado as costas para a carreira política a favor de uma vida nas letras, esta última tradicionalmente oferecia apenas uma vocação no Brasil, não a base para um padrão de vida respeitável.

No entanto, uma nova e inesperada oportunidade surgiu graças a seu trabalho jornalístico e às relações que havia cultivado nesse meio. Deveu-se em parte também ao permanente interesse de Nabuco nas finanças brasileiras e no crédito internacional. Não se tratava de um interesse exclusivo de Nabuco. O crédito e as finanças brasileiras foram questões de preocupação constante durante toda sua juventude; houve crises financeiras nos anos de 1850, 1860, 1870 e 1880, e qualquer estadista com real estatura na época estava ciente das dificuldades e controvérsias envolvidas, que afetavam carreiras e gabinetes. João Alfredo tentara mitigar uma crise financeira exacerbada pela abolição por meio de uma série de medidas, incluindo um novo pacote bancário, um empréstimo estrangeiro e uma política inflacionária. Remédios semelhantes, visando mitigar as dificuldades associadas às mudanças na força de trabalho e à escassez de crédito para os fazendeiros endividados, foram aplicados por Ouro Preto. Da mesma forma, Rui Barbosa recorreu a políticas inflacionárias por uma série de razões nos anos de 1890. Coube ao Ministério da Fazenda de Rui, no entanto, implementar o uso farto de papel moeda, crédito interno e uma política bancária liberal que levou ao *boom* especulativo conhecido como Encilhamento. A crise que se seguiu foi catastrófica para o crédito brasileiro interno e, principalmente, externo.[45]

Ao longo da década de 1890, portanto, uma das vertentes da condenação da República por Nabuco fora sua política financeira, que ele considerava irresponsável e muitas vezes corrupta, e que acompanhava de perto. Seu ponto de vista foi sem dúvida reforçado pela experiência direta. No anos de 1870, ele passara um período como adido em Londres, onde o ministro, amigo do pai e seu protetor, era o barão de Penedo, um diplomata cujo prestígio se baseava em parte em sua capacidade de cultivar o poder financeiro local, principalmente dos Rothschilds. Assim, Nabuco era muito sensível ao significado e à natureza das políticas financeiras brasileiras, questão que transparece repetidas vezes em seus escritos privados, justamente devido às crises financeiras da República. À medida que essas crises condenavam o crédito brasileiro em Londres, Nabuco manifestava sua preocupação de que a instabilidade política e irresponsabilidade financeira brasileiras levariam à intervenção imperialista no Brasil, e temia até mesmo a possibilidade de perdas territoriais e o esfacelamento da nação.[46] Em 1890, escreveu a Penedo de Paquetá, na baía de Guanabara:

> Vivemos isolados não por desejo mas porque é realmente *écoeurant* ouvir no Rio a linguagem daqueles que fazem parte da nossa mesma sociedade e que a especulação da bolsa e a pressa em acumular milhões tornam ainda mais colaboracionistas do que aqueles políticos ambiciosos que temem perder ainda mais sua velha influência.... Ao fim de um ou dois anos desse regime, a situação republicana estará complemente degradada, não duvide....
>
> Somente vejo dificuldades para a organização da República... O que temos é um governo militar personalizado à moda sul-americana.... Não tenho dúvidas de que somente com a Monarquia voltaremos a ter liberdade e um governo que seja acei-

távelerespeitável no nosso país e que, por outro lado, a espécie de governo republicano ao qual o regime militar... é suscetível não garantirá a unidade nacional. Para mim, a Monarquia ou o desmembramento são as alternativas do futuro.[47]

Foi, portanto, com um otimismo cauteloso que Nabuco começou a comentar as políticas financeiras e os pronunciamentos políticos do presidente empossado em 1898, Campos Sales. A política explícita de restauração do crédito iniciada por Campos Sales entre a eleição e a posse, sinalizada claramente por sua famosa viagem a Londres em 1898, deve ter contribuído muito para convencer Nabuco de que talvez o perigo das repetidas crises financeiras e do desmembramento nacional seria finalmente enfrentado.[48]

Por um lance de sorte, o velho amigo de Nabuco, Rodrigues, diretor do *Jornal do Commercio*, também apoiava Campos Sales. De fato, Rodrigues combinara com o presidente eleito de levar outro conhecido de Nabuco, o repórter Tobias Monteiro, como secretário na crítica missão em Londres, para fornecer uma cobertura favorável. Monteiro relata que foi durante a viagem à Europa que Campos Sales, que tinha lido e apreciado muito *Um estadista*, comentou sobre a tragédia que representava a abstenção de Nabuco da República. Campos Sales ficara impressionado não só com as qualidades reveladas no livro, mas também com o talento de Nabuco como orador e pessoa amplamente respeitada por seus ideais e sua independência, qualidades que Campos Sales certamente lembrava da época em que serviram juntos na Câmara dos Deputados, em 1885, quando Nabuco voltou ao Parlamento após uma eleição particularmente triunfante.[49]

Assim, quando iniciou o novo governo, no final de 1898, o novo presidente tinha como seguidores e confidentes dois jornalistas que também eram próximos de Nabuco. Monteiro começou a sondar Nabuco quanto à possibilidade de um cargo público, mencionando a opinião do presidente a seu respeito. No final de fevereiro de 1899, Campos Sales se entusiasmava ao mencionar-se a possibilidade de contar com Nabuco para servir à nação. A questão era definir o cargo mais oportuno, especialmente considerando o monarquismo de Nabuco e sua consequente e repetida recusa em se filiar a um governo republicano. Sugeriu-se que uma missão diplomática seria mais palatável para ele e mais útil para a nação, na medida em que estaria a serviço do Brasil, não do regime. As negociações a esse respeito, e a missão em particular, foram conduzidas de maneira totalmente privada, com Monteiro como o principal intermediário e Rodrigues como o representante oficioso do presidente e de Olinto de Magalhães, o ministro do Exterior de Campos Sales. No começo de março as negociações estavam concluídas. Nabuco revelou a notícia em particular a seus amigos e aliados monarquistas. Quase todos o condenaram, e logo esse fato se tornaria público. Alguns de seus amigos chegaram a cortar relações.[50]

Entretanto, a maneira como Nabuco enfrentou a situação revela grande serenidade. Ele já rompera politicamente com a Velha Guarda desde 1896 e, num momento de extrema necessidade, sentia que devia ser fiel acima de tudo a seu país. Escreveu a um amigo que queria defender

> a religião... da independência e da elevação nacional.... o país está chegando perto da grande fraqueza da qual nenhuma nação se ergue e, uma vez caídos, você acha que nossa responsabilidade como brasileiros receberá como resposta: Nós não podíamos fazer nada, nós éramos monarquistas?.... Outra questão é a bancarrota, e a bancarrota pode levar à perda de autonomia. Em três minutos a nação pode morrer. O instinto de integridade territorial é o último que uma raça deveria perder. Eu aceitei essa missão, como teria aceito um assento no Parlamento nas atuais condições do país. Com a exceção das minhas ideias monarquistas, posso ir a qualquer lugar da República defender a causa pública. Nada me liga à República; se eles [i.e., os monarquistas] romperem meus laços com o monarquismo, ficarei somente com um partido: a nação.[51]

Podemos fazer uma análise de sua escolha à guisa de conclusão. Fica claro, por exemplo, em sua correspondência entre 1898 e 1902, que a decisão de Nabuco foi um desenlace inesperado. Desviou-o de sua expectativa de uma retirada da vida pública para dedicar-se às letras e ganhar a vida como advogado especializado em assuntos empresariais e financeiros. Em vez disso, inicialmente como ministro especial para tratar de uma disputa de fronteira com a Grã-Bretanha, depois como ministro brasileiro na Grã-Bretanha e finalmente como o primeiro embaixador do Brasil nos Estados Unidos, dedicou-se a servir sua nação nas mais elevadas fileiras diplomáticas. Embora fosse sem dúvida um retorno oportuno à vida pública, do ponto de vista de suas dificuldades financeiras domésticas, estas nunca foram prementes o suficiente para forçá-lo a aceitar ofertas anteriores de filiação. Havia algo de diferente, é claro, na oferta de Campos Sales. A chave é sua apreensão, contínua e crescente, quanto ao futuro do Brasil. Para comprová-la, basta comparar sua correspondência do início da década de 1890, pontuada de comentários apreensivos sobre as finanças e o futuro da nação, com suas respostas aos ataques monarquistas depois que tomou a decisão. A oportunidade de defender seu país no exterior, onde problemas financeiros e ideias imperialistas ameaçavam o país com a intervenção e uma possível perda territorial, era uma questão que lhe era cara desde o nascimento da República.[52]

Que essa seja a explicação para sua decisão inesperada também fica claro nos postos que Nabuco aceitou. De fato, desde sua primeira missão, defender os direitos brasileiros contra as reivindicações britânicas à Amazônia, até a última, como a figura central na decisão de Rio Branco de começar a cultivar uma relação especial com os Estados Unidos, Nabuco contribuiu nos campos em que suas capacidades e suas ansiedades eram mais óbvias. A Grã-Bretanha, metrópole neocolonial para o Brasil, precisava ser ao mesmo tempo contida e cultivada, e Nabuco era excelente em ambas as tarefas. Os Estados Unidos, principalmente após a Guerra Hispano-Americana e a controvérsia da Venezuela dos anos de 1890, eram uma potência cuja influência na América do Sul estava assomando. Assim, os Estados Unidos também precisavam ser cultivados, principalmente considerando as ambições crescentes do vizinho tradicionalmente perigoso do Brasil, a Argentina.

Em poucas palavras, Nabuco entendeu os últimos anos de sua vida pública como um retorno às mesmas aspirações patrióticas que havia celebrado na carreira do pai e em sua própria como abolicionista. Embora permanecesse desconfortável com a ideia de um retorno à disputa política interna, manteve o compromisso de servir ao futuro da nação – no exterior, onde o destino da mesma estava ameaçado. Existem indicações, é claro, de que sentia falta do exílio literário que contemplara no final da década de 1890, e não restam dúvidas de que sentia profundamente sua ausência do Brasil.[53] No entanto, como observou para Rio Branco, quando este discutiu suas próprias dúvidas quanto a aceitar o ministério do Exterior em 1902, o serviço patriótico vinha sempre acompanhado de um sacrifício pessoal. Observou:

> Você, como historiador, como historiador militar, conhece os sacrifícios que fazem quase todos aqueles que desempenham um papel de destaque na história e sabe que não se entra para a história sem sacrifício pessoal. A questão é o país. Devemos empenhar tudo para que seja de fato uma nação, e escape do destino que coube à Polônia, ou à Venezuela e à Columbia [sic]. Ontem mesmo li no *Spectator*: "O Brasil é o mais esplêndido pedaço de terra ainda subdesenvolvido, mas com seus negros, seus índios, seus mestiços, faz parte do 'Fardo do homem branco'...., deveria pertencer ao jovem Hércules que se estende do Atlântico ao Pacífico...." É essa ideia, de que não somos, e não podemos ser, uma nação branca, para fazer parte do *Fardo do Homem Branco*, do qual participam todos os europeus e americanos, que deveria nos deixar indignados e levar-nos a fazer qualquer sacrifício pessoal, cada um de nós, enquanto ainda há tempo, para garantir o futuro da nossa nação.

.... Estou certo de que no governo você há de esquecer de si mesmo e há de sentir o amor ardente pelo nosso país dominá-lo completamente como a última paixão da sua vida. Ambição para elevá-la e fornecer um grande exemplo... eis o que sentirá em profusão agora que foi recebido em estado de graça e que recebeu a comunhão, vindo a participar do futuro da nossa desventurada terra.[54]

Nessa carta emotiva a um velho amigo, outro monarquista cuja família, assim como a de Nabuco, estava envolvida no serviço público há várias gerações, Nabuco parece falar de si mesmo, além do próprio Rio Branco. Sua evocação da história e do patriotismo, revestida de metáforas de sua renovada fé católica, mostra como seus anos de renúncia e afastamento da política inesperadamente o prepararam para seus últimos passos em direção à glória, a glória no crepúsculo da vida.

NOTAS

1 Este trabalho ainda não foi concluído e não pode ser citado ou comentado sem a permissão por escrito do autor.Gostaria de agradecer a K. David Jackson por essa oportunidade especial e a Stuart Schwartz por sua generosidade ao pensar em mim. É um enorme prazer aprender de tantos colegas ilustres, e uma grande responsabilidade apresentar uma pesquisa nova, ainda em curso, na companhia desses colegas e na presença da família Nabuco. Também gostaria de homenagear duas pessoas aqui presentes, Emilia Viotti da Costa e Leslie Bethell, que foram minhas guias e modelos quando comecei a estudar o Brasil em Yale há trinta anos, sob a supervisão do meu mentor, Richard Morse.

2 Ver Joaquim Nabuco, *Minha formação* (Rio de Janeiro: Garnier, 1900), 223–25; Afonso Celso, *Oito anos de parlamento*, 2ª ed. (Brasília: Univ. Brasília, 1981[1901]), 65–68. Procurei discutir a busca de glória por Nabuco em "A Liberal Embraces Monarchy: Joaquim Nabuco and Conservative Historiography," *the Americas*, 48:2 (Oct. 1991), 159–79; ver 160–63. Aqui e a seguir, as notas referem-se especificamente ao

assunto em questão. A bibliografia sobre Nabuco é extensa; ver Inalda Silveste, "Bibliografia sobre Joaquim Nabuco, *Ciência & Trópico* (Recife), 2:1 (jan./jun 1974): 139–55 para as obras até o início dos anos de 1970. A bibliografia incluída na biografia mais recente de Nabuco, Angela Alonso, *Joaquim Nabuco* (São Paulo: Cia. das Letras, 2007), 343–52, é a mais completa que já vi.

3 *Minha formação*, caps.1,2,20,25; Carolina Nabuco, *A vida de Joaquim Nabuco* (São Paulo: Nacional, 1928), 21–40

4 Ver Jeffrey D. Needell, *The Party of Order: The Conservatives, the State, and Slavery in the Brazilian Monarchy, 1831–1871* (Stanford: Stanford, 2006), caps. 6, 7; idem, "The Lost Way: Political History and the Historiography of Brazilian Abolitionism" (trabalho apresentado no encontro anual da Associação Histórica Americana, Washington, D.C., Janeiro 2008), 7.

5 C. Nabuco, *A vida*, 60–62; Nabuco a Sancho de Barros Pimentel, Londres, 18 março 1883 e 31 agosto 1883 em *Cartas a amigos*, 2 vols. (São Paulo: Instituto Progresso, 1949), 1: 102, 103–04; Emilia Viotti da Costa, *Das senzalas à Colônia*, 2ª ed. (São Paulo: Ciências Humanas, 1982 [1966]), 356–60; Robert E. Conrad, *The Destruction of Brazilian Slavery: 1850–1888* (Berkeley: California 1972), 256–63; Richard Graham, *Britain and the Onset of Modernization in Brazil* (Cambridge: Cambridge Univ., 1972), 150, 208–09, 263; Rebecca Baird Bergstresser, "The Movement for the Abolition of Slavery in Rio de Janeiro, Brazil, 1880–1889." (Stanford Univ., Ph.D., 1973), 11–12, 18–35, 78–79, 85–97; Robert Brent Toplin, *The Abolition of Slavery in Brazil* (Nova York: Atheneum, 1975), 62–73, 87, 119–30; Sandra Lauderdale Graham, "*The Vintem Riot and Political Culture: Rio de Janeiro, 1880*," *Hispanic American Historical Review, 60:3 (ag. 1980)*: 431–49; Marco Aurélio Nogueira, *As desaventuras do liberalismo: Joaquim Nabuco, a Monarquia e a República* (Rio de Janeiro: Paz e Terra, 1984), cap.2; Célia Maria Marinho do Azevedo, *Onda negra medo branco: o negro no imaginário das elites século XIX* (Rio de Janeiro: Paz e Terra, 1987), 97–104.

6 Celso, *Oito anos*, 66; J. Nabuco, *Minha formação*, cap.21. Evaristo de Moraes, *A campanha abolicionista (1879–1888)* (Rio de Janeiro: Leite Ribeiro, Freitas Bastos, Spicer & Cia., 1924), fornece o melhor e mais equilibrado relato do abolicionismo por um contemporâneo, com mais atenção à história política formal do que os historiadores modernos; C. Nabuco, *A vida*, 11, fornece um relato detalhado de Nabuco nesse contexto.

7 Needell, "The Lost Way," 7–10.

8 Ibid., 10–16.

9 Ibid., 14–16. O papel da liderança abolicionista com relação ao governo de João Alfredo é explorado pela primeira vez em detalhes em ibid., embora Conrad esteja ciente do contato com Rebouças (ver nota abaixo). Ver, com relação aos contatos particulares entre os líderes abolicionistas e João Alfredo, os manuscritos de André Rebouças no Arquivo João Alfredo, Universidade Federal de Pernambuco, Recife [doravante AJA], textos não catalogados de 1888, 3º pacote, "Projecto de Lei de Abolição," e, com André Rebouças a João Alfredo, 21 de maio de 1888, o manuscrito para "Colonisação Nacional," "Projecto de Regulamento para Colonias Penitenciarias Agricolas," e "Projecto de Lei de Serviços Ruraes." E, ainda mais importante, ver o diário original de Rebouças para 1888 no Instituto Histórico e Geográfico Brasileiro, Rio [doravante IHGB] Coleção André Rebouças, lata 464, Manuscrito 6, registros de 7 março, 8 março, 11 março, 30 março, 1º abril, 2 abril, 3 abril, 7 abril, 8 abril, 9 abril, 24 abril, 25 abril, 29 abril, que deixam claros os contatos próximos e contínuos entre Rebouças e João Alfredo e Antônio Prado, assim como a liderança e o contato de Rebouças com outros líderes abolicionistas em sua contínua mobilização e planejamento. Aparentemente, outro abolicionista que Prado consultou foi José Carlos Rodrigues, que mais tarde seria o renomado diretor do *Jornal do Commercio* (ver registro de 30 de março). Embora Conrad (271) afirme que João Alfredo teria escolhido a solução mais radical para contornar os liberais, Moraes, jornalista e abolicionista contemporâneo, afirma que o ministro teria cedido à pressão dos abolicionistas, que teriam rejeitado as condições do projeto de Prado, que iriam sobrecarregar os libertos. Um novo conflito aberto com os abolicionistas a essa altura poderia ter resultados alarmantes, divisivos e desestabilizadores. Costuma-se alegar que o verdadeiro autor da lei de 13 de Maio seria um ou mais dos ministros do gabinete: Ferreira Viana, Vieira da Silva, ou Costa Pereira. Entretanto, o texto da proposta de Rebouças, encontrado entre os documentos de João Alfredo, é praticamente idêntico ao texto da lei que conhecemos como Lei Áurea: "Projecto de Lei de Abolição: Art. 1º Fica abolida a escravidão no Imperio do Brazil. Art. 2º Ficam revogadas todas as disposições em contrario." A data dos outros manuscritos indica que Rebouças esperava que sua influência sobre o gabinete continuasse. Sua decepção e seus contatos com João Alfredo são sugeridos por C. Nabuco, *A vida*, 256, com

relação ao debate sobre a indenização dos donos de escravos, defendida pelos grandes latifundiários. Para Rebouças, as questões relacionadas aos latifúndios eram no mínimo tão importantes quanto a abolição propriamente dita; ver Rebouças a Nabuco, Petrópolis, 27 de julho de 1887, Arquivo Joaquim Nabuco, Recife [doravante AJN], CPp18doc354. Sobre o apoio de Nabuco ao gabinete, ver C. Nabuco, *A vida*, II, cap.11.

10 Nabuco a Joaquim de Sant'Anna, Rio, 1889, AJN CAp6doc105.

11 Nabuco a José Marianno, Rio, 23 julho 1888, AJN CAp6doc107; Nabuco ao barão de Penedo, Rio, 6 jan. 1889, *Cartas a amigos*, 1:180–81.

12 Nabuco a José Marianno, Rio, 2 jan. 1889, AJN CAp6doc107.

13 Nabuco a Schlesinger, Rio, 21 nov. 1888, AJN CAp6doc102.

14 Ver ibid., mas cf. Nabuco a José Marianno, Rio, 23 jul. 1888, CAp6doc107.

15 Nabuco a Penedo, Rio, 2 janeiro 1889, CAp6doc111.

16 C. Nabuco, *A vida*, II, 11. Referências a problemas de saúde aparecem em todo o diário de Nabuco (ver abaixo). Nessa época, ele acreditava que lhe restavam poucos anos de vida; ver Carolina Nabuco, *Oito décadas: memórias* (Rio de Janeiro: José Olympio, 1973), 200. Sua filha nos informa que o diagnóstico da doença recebeu o sofisticado nome de *dispepsia nervosa*. Parece ter sido mais grave ou complicado do que indigestão nervosa; mais tarde ele menciona desmaios, dores de cabeça etc.

17 As evidências de sua relação com Eufrásia Teixeira Leite são esparsas nos textos de Nabuco. Ver Joaquim Nabuco, *Diários*, 2 vols. (Rio: Bem-Te-Vi, 2005), I: 22,24,50,54,56,59,60,61,272,276,283; e o que sobrou da correspondência dela no AJN. Ver o relato clássico em Luís Viana Filho, *A vida de Joaquim Nabuco* (Rio: José Olympio, 1952), cap.4, 133–35, e aquele mais ousado de Alonso, 52–72 e passim.

18 C. Nabuco, *A vida*, 198–201. Quem está familiarizado com o ambiente em que vivia Nabuco não ficará surpreso em constatar que as mulheres que escolhia para se casar eram ricas; o casamento com uma herdeira não era apenas aceito, mas esperado pelas famílias como a dele, pois

reforçava a oportunidade de independência financeira. Sobre o casamento das elites na época e as relações familiares, a riqueza e a corte no relacionamento de Nabuco com as duas mulheres, ver Jeffrey D. Needell, *A Tropical Belle Epoque: Elite Culture and Society in Turn-of-the-Century Rio de Janeiro* (Cambridge: Cambridge Univ., 1987), cap.4, pts. 1–2. Também é importante notar que Nabuco ficou clara e profundamente envolvido, do ponto de vista emocional, com as duas mulheres. A correspondência de Eufrásia deixa claro que seu longo relacionamento, romântico, trágico e finalmente frustrado, foi profundamente sentido pelos dois lados; e, tal como indicado no texto abaixo, a correspondência e os diários de Nabuco deixam claro que o casamento e a família que constituiu com Evelina foram essenciais para sua felicidade. É interessante notar que as duas mulheres eram parentes por casamento: um dos tios de Evelina, Custódio Rodrigues Torres, havia se casado com uma prima de Eufrásia, Ana. Outras primas Teixeira Leite de Eufrásia haviam se casado com um dos aliados de Nabuco (o visconde de Taunay) e com um de seus desafetos, Francisco Belisário Soares de Sousa.

19 Ver, e.g., Nabuco a Penedo, Paquetá, 31 de julho de 1890, AJN CAp7 doc122.

20 C. Nabuco, *A vida*, III, permanece o estudo mais cuidadoso e completo desse período da vida de Nabuco.

21 As publicações incluem "Resposta as Mensagens do Recife e de Nazareth," republicada em *Escriptos e discursos literarios* (São Paulo/Rio: Nacional/Civilização Brasileira, 1939) e *O dever dos monarchistas: Carta: Ao Almirante Jacequay* (Rio: Leuzinger, 1895), que expõem uma gama de opiniões sobre Monarquia vs. República, na medida em que foram escritos nos dois extremos da primeira fase; uma crítica mais indireta da República fica clara em *Balmaceda* (Rio: Leuzinger, 1895) [em que discute a guerra civil chilena contemporânea com um subtexto referente ao Brasil] e *A intervenção estrangeira durante a revolta* (Rio: Leuzinger, 1896). A experiência vivida na época está bem refletida em *Diários*, II: 30–114, passim; a narrativa política é recapturada em dois clássicos: Dunshee de Abranches, *Actos e actas do governo provisorio* (Rio: Nacional, 1907) e José Maria Bello, *A History of Modern Brazil: 1889–1964* (Stanford: Stanford Univ., 1966), caps.5–10.

22 C. Nabuco, *Oito décadas*, 200–03.

23 Sobre as esperanças iniciais de colapso e restauração, ver Nabuco a Penedo, Londres, 24 janeiro 1891, AJN CAp7doc135; Nabuco a Pedro II, Londres, 9 fevereiro 1891, IHGB Lata 445 Pacote 27; Nabuco a Paranhos, Londres, 15 m[aio?] [1891], Arquivo Histórico Itamaraty [doravante AHI], Col. Barão do Rio Branco, Lata 832 Maço 1 Pacote 1; Nabuco a Paranhos, Londres?, [1891], ibid; Nabuco a Paranhos, Aguas de Lambary, 22 May [1891], ibid..

24 *Diários*, II: 33ff, e registros de 29 Janeiro 1893, 1º outubro 1893, (56, 60–61), e registros de 23 setembro 1893 a 19 outubro 1893 (58–72), registros de 4 novembro 1893, 7 novembro 1893, 14 novembro 1893, 18 novembro 1893 (77–85), 16 janeiro 1895 (103 e 108n.48).

25 Ibid., 1º outubro 1893, 60–61.

26 Nabuco a Eduardo [Prado], Rio, 30 janeiro 1896, AJN CAp9doc179.

27 Ver as obras de C. Nabuco citadas em n.26; *Diários*, II: 19 março 1896 (111); 22 março 1896 (111–12), 17 abril 1896 (114); Nabuco a Eduardo [Prado], Rio 17 março 1896, AJN CAp10doc182; Nabuco a Rôzo Lagôa, Rio, 24 março 1896, AJN CAp10doc184.

28 *Diários*, II: 22 março 1896 (112).

29 Joaquim Nabuco, *Minha formação* (Rio: Garnier, 1900), 304–05.

30 C. Nabuco, *Oito décadas*, 198; *Diários*, 2: 28 maio 1892 (44); Joaquim Nabuco, *Minha fé* (Recife: Massangana, 1985 [c.1893]), 140–42.

31 Extraído da cópia de uma carta em *Diários*, 2: 29 janeiro 1893 (56). Proclus foi um conhecido neoplatonista do século V, que enfatizava a primazia do pensamento como a verdadeira realidade, em oposição ao mundo material, uma ilusão.

32 Ver, e.g., *Diários*, 2: 13 dezembro 1892 (52); 22 dezembro 1892 (ibid.); 23 dezembro 1892 (52–53); 12 março 1893 (95); 16 novembro 1895 (106–07); 1º janeiro 1896 (108); sobre seu relacionamento e seu encanto com os filhos, há registros espalhados ao longo de toda a década de 1890 em seu diário. Sobre suas preocupações e perspectivas na época, ver Nabuco a A. Corrêa, Rio ?setembro 1898, AJN CAp11doc211; Nabuco a Domingos

[Ribeiro], Paris, 6 novembro 1899, AJN CAp13doc255; Nabuco a Domingos [Ribeiro], Londres, 25 dezembro 1900, AJN CAp16doc311. Sua filha afirma que sua mãe lembra desse período como o mais feliz da sua vida; ver C. Nabuco, *Oito décadas*, 203; para suas memórias do pai como pai, e seu catolicismo, ver ibid., 209–10.

33 Nabuco a Penedo, Rio, 8 junho 1881, *Cartas a amigos*, 1: 48; *Diários*, 1: 13 março 1881 (263). NB que, na época, Nabuco estava se candidatando às eleições após suas primeiras tentativas como abolicionista. Tinha boas razões para esperar uma derrota e, portanto, um retorno forçado à vida privada e à necessidade de encontrar um outro meio de sustento, e cogitou voltar a Londres na qualidade de advogado. As semelhanças com a situação do começo da década de 1890 são evidentes.

34 "Instituto Historico," em Joaquim Nabuco, *Escriptos e discursos literarios* (São Paulo: Nacional, 1939); Needell, "A Liberal," 170–77; cf. Richard Graham, "Joaquim Nabuco, Conservative historian," *Luso-Brazilian Review*, 17:1 (verão de 1980): 1–16; Wilson Martins, *História da inteligência brasileira*, 6 vols (São Paulo: Cultrix/Univ. São Paulo, 1978), 5: 85–90; e, principalmente, o estudo atento e detalhado de Ricardo Salles em *Joaquim Nabuco: um pensador do Império* (Rio: Topbooks, 2002), caps.5–7. A visão de Alonso sobre a vida e obra de Nabuco nos anos de 1890 (cap.5), resumida como "hibernação" (283–85), enfatiza sua conclusão de que isso implicou num recolhimento a seus antecedentes e preconceitos sociais e que foi politicamente ineficaz. Essa visão parece afetar seu julgamento de *Um estadista*, ao ponto de sugerir que a obra causou má impressão; em defesa desse argumento, ela cita José Veríssimo (280). Contudo, a avaliação de Veríssimo, apesar de conter algumas críticas, é enfaticamente generosa; ver seu *Estudos de literatura brasileira: primeira serie: 1895–1898* (Rio: Garnier, 1901), cap.10.

35 *Diários*, 2: 17 abril 1896 (112) indica o momento em que começou a apresentar os artigos ao *Commercio de São Paulo*; os registros subsequentes indicam o progresso regular; cf. a data de sua declaração ao diretor do jornal de que não estaria mais interessado em jornalismo político: "Não desejo mais escrever sobre assuntos políticos." Nabuco a Rôzo Lagôa, Rio, 24 março 1896, AJN CAp10doc184. Nabuco é claro sobre o objetivo básico da obra; ver *Minha formação*, 303–06. Ver, também, Martins, 5: 141–46.

36 *Minha formação*, 305–06.

37 "Academia Brasileira," em *Escriptos*. Ver, também, Needell, *Tropical Belle Epoque*, cap.6 [pt.]7.

38 Essas recusas representaram as ocasiões para "Resposta as Mensagens" e *O dever*. Jaceguai (almirante e herói naval da Guerra do Paraguai) era Artur Silveira da Mota, filho de José Inácio Silveira da Mota, senador e abolicionista pioneiro. Uma sugestão implícita de adesão foi feita a Nabuco, indiretamente, pelo proeminente estadista pernambucano Francisco de Assis Rosa e Silva; ver *Diários*, 2: 16 janeiro 1895 (103).

39 C. Nabuco, *Oito décadas*, 7, 10–11, 201–03; *Diários*, 2: 28 junho 1895 (106).

40 *Diários*, 2: 16 novembro 1895 (106–07).

41 Nabuco foi convidado a assumir cargos importantes nos dois jornais pelos respectivos donos (Rodolfo Dantas e Eduardo Prado), seus amigos. Ambos os jornais, porém, sucumbiram à pressão dos violentos partidários da República.

42 Rodrigues foi militante republicano e abolicionista nos anos de 1870 e morou nos Estados Unidos e na Inglaterra de 1866 até a década de 1880, publicando *O Novo Mundo* e *Revista Industrial* em Nova York, e trabalhando como correspondente para o *Jornal do Commercio*. Comprou a participação de seus diretores tradicionais ao voltar ao Brasil, em 1890. O jornal é o porta-voz da Monarquia, datando de 1827, quando foi fundado por um grupo de jornalistas franceses típicos das primeiras gráficas, jornais e livrarias do Rio. Publicou regularmente os debates parlamentares nos anos de 1830; Rodrigues tem o mérito de ter aumentado ainda mais a importância do jornal ao modernizar sua tecnologia, seu formato e sua cobertura; ver Nelson Werneck Sodré, *A história da imprensa no Brasil* (Rio: Civilização Brasileira, 1966), 126–27, 254, 255, 324. Em *Cartas a amigos*, 2: 35, Carolina Nabuco observa que Rodrigues e Nabuco ficaram amigos na década de 1870, quando Nabuco foi adido diplomático em Nova York. Nabuco o menciona pela primeira vez em 1883 (*Diários*, 1: 3 janeiro 1883 [256]), na companhia de Rebouças, em Londres. Rodrigues, apesar de seu republicanismo, não esqueceu dos velhos amigos. Contratou Rebouças como correspondente no exílio e começou a oferecer trabalho a Nabuco já em 3 de janeiro de 1895 (*Diários*, 2: 103). *Balmaceda* começou a aparecer em série no *Jornal do Commercio* pouco tempo depois. Em 1991, perguntei a Francisco de Assis Barbosa quem foi o homem mais

poderoso no Rio durante a República Velha, e a pessoa indicada por ele foi Rodrigues, por suas habilidades e suas realizações nos bastidores. Obviamente, o papel de Rodrigues nesse caso é típico dele.

43 *Diários*, 2: 1 janeiro 1896 (108); ibid., 2: 22 setembro 1898 (126).

44 Assim como fizera seu antecessor e protetor, o barão de Penedo, Artur de Sousa Corrêa cultivara uma relação estreita com os Rothschild ingleses, principalmente Alfred de Rothschild, o chefe da família depois que o amigo de Penedo, Lionel de Rothschild, morreu. Os Rothschilds eram banqueiros no Brasil desde a independência (e únicos agentes financeiros em 1855), e a capacidade do ministro brasileiro em Londres de ter acesso e usufruir uma relação de confiança com eles representava uma força fundamental para ambos os diplomatas. Ver Renato Mendonça, *Um diplomata na côrte da Inglaterra* (Rio: Bloch, 1968), cap.22. Sobre as aspirações de Nabuco, ver *Diários*, 2: 22 janeiro 1893 (55); 7 março 1895 (104) e A. Corrêa a Nabuco, Londres, 24 junho 1893, AJN CPp43doc984; Nabuco a A. Corrêa, [Rio] 31 agosto 1898, CAp13doc251Nabuco a A. Corrêa, Rio ? setembro 1898 [cópia], AJN CAp11doc 211.

45 Bello, 15–18, fornece um breve panorama da política e da crise financeira na Monarquia; Needell, *Party of Order*, 202–07, 319, indica as consequências e o meio político, c. 1850s–1860s; uma análise mais especializada é oferecida por [Roger] Frank Colson, "The Destruction of a Revolution: Polity, Economy and Society in Brazil, 1750–1895." Princeton Univ. tese de Ph.D., 1979, que se concentra nos entrelaçamentos da elite socioeconômica com a alta política e a política econômica, e por John Schulz, *The Financial Crisis of Abolition* (São Paulo: Instituto Fernand Braudel, 1993), particularmente os caps.3–7. A preocupação de João Alfredo com a abolição e sua relação com a crise financeira fica clara nas consultas que fez imediatamente após assumir o poder (observe-se, também, que ele se nomeou Ministro da Fazenda); ver, em AJA, textos não catalogados de 1888, 30. pacote: Antônio Venâncio Cavalcante de Albuquerque a João Alfredo, Minas Novas, 20 março 1888; M.A. Pimento Barros, 25 abril 1888, "Situação financeira e econômica"; Arthur S. Hitchings a João Alfredo, 20 março 1888; José Vergueiro a João Alfredo, Fazenda Ybicaba, 23 março 1888; Inácio da Cunha Galvao a João Alfredo, Petropolis, 25 março 1888. A defesa do presidente do Conselho de Ministros de um apoio financeiro aos fazendeiros após a abolição foi um fator fundamental na decepção e na crítica de Rebouças e Nabuco.

46 Ver os registros em *Diários*, 2: 33–37, principalmente de 28 fevereiro 1891, 9 março 1891, e 5 abril 1891; ibid., 2: 23 outubro 1892 (50); 6 outubro 1893 (63); 4 novembro 1893 (81). Não causa surpresa constatar que uma de suas primeiras cartas ligando a desordem financeira e política à desagregação nacional é para Penedo: Nabuco a Penedo, Paquetá, 31 agosto 1890, AJN CAp7doc122. Ver, também, Nabuco a Paranhos, Londres, 15 m[aio?] [1891], AHI, Col. Barão do Rio Branco, Lata 832 Maço 1 Pacote 1; Nabuco a Paranhos, Londres, 4 março 1891, ibid.; Nabuco a Paranhos, Londres?, [1891], ibid; Nabuco a Paranhos, Águas de Lambary, 22 maio [1891], ibid.; Nabuco a Eduardo [Prado], Rio, 30 janeiro 1896, AJN CAp9doc179; Nabuco a Oliveira Lima, Rio, 26 novembro 1897?, AJN CAp10doc191. Apesar de seu aparente domínio da correspondência arquivada de Nabuco, Alonso não levanta a questão de uma continuidade, durante a década de 1890, de suas preocupações financeiras e ansiedades com a nação, e da relação destas com seu retorno ao serviço público em 1899. Ao invés disso, reduz sua decisão a um oportuno e autêntico desejo, muito bem-vindo após uma década de marginalização, desemprego e auto-exílio aristocrático (286–91). Ela faz mal uso de uma citação para afirmar que Nabuco renunciou publicamente a seu monarquismo em 1898 em troca da oferta de Campos Sales de 1899 (288), contradizendo relatos conhecidos e a correspondência arquivada, que mostram que sua adesão pública à República só aconteceu mais tarde (ver, e.g., Campos Sales a José Carlos [Rodrigues], Rio, 3 junho 1900, Biblioteca Nacional, Seção de Manuscritos, 1–3,5,3). O contraste com a análise cuidadosa de Ricardo Salles do pensamento e da carreira política de Nabuco (inteira e exclusivamente baseada na correspondência e nas obras publicadas) é impressionante. Salles (cap.8) enfatiza tanto as continuidades quanto o movimento no pensamento e na carreira política de Nabuco com extrema clareza e um uso criterioso de citações. Embora também negligencie o significado de suas inquietações financeiras, que provavelmente ficam mais claras na correspondência arquivada, é explícito com relação à preocupação de Nabuco quanto à sobrevivência do país no contexto imperialista.

47 Nabuco a Penedo, Paquetá, 31 julho 1890, AJN CAp7doc122.

48 Nabuco a A.Corrêa, 31 agosto 1898, AJN CAp13doc251. Campos Sales, *Da propaganda á presidencia* (São Paulo: n.p., 1908), cap.5; Tobias Monteiro, *O presidente Campos Sales na Europa* (Rio: Briguiet, 1928), "Introdução," cap.7, "Appendice."; Bello, 164–68; Francisco de Assis Barbosa, "A Presiden-

cia Campos Sales," *Luso-Brazilian Review*, 5:1 (junho 1968): 3–26;Schulz, cap.7.

49 Monteiro, 1–2, 15–16.

50 Monteiro a Nabuco, [Rio], 27 fevereiro 1899, AJN CPp46doc1033; Monteiro a Nabuco, [Rio], 1 março 1899, AJN CPp46doc1036; J.C. Rodrigues a Nabuco, IHGB, Col. J.C. Rodrigues, lata 584 pacote 7, nos. 10,11; A. Corrêa a Nabuco, 11 março 1899, AJN CPp47doc1054; Olyntho de Magalhães a Nabuco, Rio, ? março 1899, AJN CPp344doc7005; *Diários*, 2: 2 janeiro 1899 (158); ibid., 3 março 1899 (159); ibid., 8 março 1899 (160); ibid., 13 abril 1899 (160); C. Nabuco, *A vida*, 345–49.

51 Nabuco a G[arcia] Redondo, ? 1899, AJN CAp11doc220.

52 Ver o material citado na n.45, assim como, e.g., Nabuco a desconhecido, n.p., n.d., AJN CAp12doc222; Nabuco a Domingos [Ribeiro], Paris, 6 novembro 1899, AJN CAp13doc255; Nabuco a Domingos [Ribeiro], Londres, 25 dezembro 1900, AJN CAp16doc311; Nabuco a Ed. Prado, n.p., 18 março 1902 [fragmento], AJN CAp17doc391A; Nabuco a Graça [Aranha], Wimereaux, 31 agosto 1901, AJN CAap91doc1740;Nabuco a Graça [Aranha], Wimereaux, 17 setembro 1901, AJN CAap91doc1741.

53 Ver, e.g., *Minha formação*, 301–05 e a correspondência pós–1899 com Domingos Ribeiro e Graça Aranha citada na n.51.

54 Nabuco a Paranhos, [Londres], 2 setembro 1902, AHI: Col. Barão Rio Branco, Lata832 Maço 1 Pacote 1.

ÍNDICE ONOMÁSTICO

Este livro foi composto em tipos Californian FB e impresso em julho de 2010 para a editora Bem-Te-Vi Produções Literárias Ltda. em papel Pólen 120 g/m² com tiragem de 2.000 exemplares pela Editora Gráficos Burti Ltda.

CIP-BRASIL. CATALOGAÇÃO-NA-FONTE
SINDICATO NACIONAL DOS EDITORES DE LIVROS, RJ

J58

Conferências sobre Joaquim Nabuco : Joaquim Nabuco em Yale / organização Kenneth David Jackson ; [responsável pela tradução Christopher Peterson]. - 1.ed. - Rio de Janeiro : Bem-Te-Vi, 2010.

Conferências em homenagem a Joaquim Nabuco, realizadas nos dias 04 e 05 de abril de 2008 na Universidade de Yale

Inclui bibliografia

ISBN 978-85-88747-33-3

1. Nabuco, Joaquim, 1849-1910 - Oratória. 2. Nabuco, Joaquim, 1849-1910 - Congressos. 3. Estadistas - Brasil. I. Jackson, K. David (Kenneth David) II. Título: Joaquim Nabuco em Yale.

10-2474. CDD: 923.281
CDU: 929:32(81)

27.05.10 04.06.10 019408